LA MER QUI GUÉRIT

MARIE MAURON

LA MER
QUI GUÉRIT

ÉDITIONS DU SEUIL
27, rue Jacob, Paris VIᵉ

8/90

33961

Qu'on permette à un ignorant, qui a cependant acquis de l'expérience à ses dépens, de donner quelques conseils sur les points dont les livres ne parlent pas, et dont les médecins se préoccupent rarement jusqu'ici.

MICHELET, La mer.

I

L'OFFENSIVE DU MAL

Ce livre n'est pas la conséquence d'un vœu. Ce serait acceptable de la part d'une malade qui a longtemps désespéré puis a été guérie, et guérie d'un mal si commun qu'il semble une sorte de mal du siècle.

Mon propos est plus simple. Sans jouer les philanthropes, il me paraît humain, logique, de conter cette guérison et toutes celles que j'ai vues autour de la mienne, à ceux qui souffrent et qui vont peut-être retrouver l'espoir.

Si j'expose mon propre cas parmi d'autres, ce n'est ni par goût personnel ou complaisance morbide à l'égard de la maladie. Au contraire : c'est pour montrer qu'on peut la vaincre. J'espère être plus claire et par conséquent mieux comprise, parlant de ce que je connais par l'intérieur, et par là rendre aux autres plus de confiance dans la guérison. Ainsi, au lieu de maladie c'est surtout de santé — et, mieux, de guérison — qu'il va s'agir.

Car, selon la belle expression du Docteur J. Sarano dans son livre *La Guérison* [1], il faut « méditer sur la maladie par son aboutissement heureux, par sa *gloire* ».

1. Presses Universitaires de France.

Pour moi, tout avait commencé, voici trente ans, par une chute sur les marches moussues d'un vieux perron mouillé de pluie. J'avais traité ces ecchymoses, importantes, il est vrai, à la façon des campagnards : avec quelque repos d'ailleurs forcé, des compresses d'eau salée et beaucoup d'indifférence. Depuis, peu ou prou, la douleur se cramponnait aux dernières vertèbres. Le froid, l'humidité, toute fatigue l'irritaient. Le vieux docteur de la famille, connaissant mon hérédité et mon tempérament arthritiques, disait que celui-ci utilisait le traumatisme de la chute pour faire capricieusement des siennes, et il m'ingurgitait du salicylate de soude en baptisant les fantaisies du mal, selon les cas, du nom de rhumatisme, de lumbago ou de névralgie. Avec la désinvolture de la jeunesse, cédant aux liniments, bouillottes, potions, comprimés ou gouttes, j'attendais patiemment la fin de l'escarmouche, le retour du soleil, les bienfaits du repos et la reprise du travail.

Mais avec les années cette désinvolture se fit de moins en moins facile. Les crises se rapprochèrent, les médicaments se firent plus sévères, plus prolongés les repos au lit et à la chaleur.

Un jour maudit de 1953, voulant ramasser mon stylo, je tombai à terre et y demeurai sans pouvoir faire un mouvement. On eut grand-peine à me ramasser, criant de douleur, et à me poser, raidie, sur un divan.

Plus tard, ayant oublié l'aventure, je me trouvai un jour bloquée sur le bord d'un chemin sans pouvoir faire un pas de plus, par ce que je nommai, au juger, sciatique, et attendis le secours d'un passant. Cette alerte à peine passée, voulant ranger le feu de cheminée, je demeurai immobilisée de nouveau, les vertèbres grippées et atrocement douloureuses, le corps en arceau. Le jeune médecin qui remplaçait l'ancien, défunt, prononça les mots de hernie discale, me disposa à terre en travers d'une grosse bûche, m'y tritura en tous sens la colonne vertébrale, tant et si bien que, sous cette forte poigne et l'épouvantable douleur, je perdis connaissance et re-émergeai sous ses gifles, pour être mise au lit avec mille difficultés.

Nulle amélioration dans les jours qui suivirent. Au contraire : soudainement, les vertèbres cervicales se bloquèrent me causant une souffrance fulgurante cependant qu'enflaient les muscles du cou.

Une consultation de plusieurs médecins m'ordonna une radio. Cet examen montra des lésions arthrosiques lombaires et cervicales, une anomalie dans les dernières vertèbres que l'on attribua à la vieille chute, un disque abimé et non pas une hernie discale, des becs de perroquet. On parla de pincements de nerfs par ces vertèbres déplacées à la faveur du disque déficient, et tout l'aréopage des praticiens, absolument d'accord, ordonna des élongations sur la table d'un spécialiste.

L'angoisse physique du cabestan, la souffrance de cet étirement où l'on se sent craquer de toutes parts, on peut les endurer si l'on veut tout tenter pour être, au moins, soulagé d'un mal permanent. On me tira donc le dos à hue et à dia, puis le cou, pour décoincer les nerfs. Cette opération toute mécanique où je sentais et entendais se disloquer ma carcasse endolorie, on me dit qu'il fallait la recommencer une dizaine de fois au moins. Dans la nuit qui suivit la quatrième, un étrange vertige nauséeux m'éveilla. Je voulus me hausser vers le commutateur électrique, mais tombai sans contrôle sur le côté, ayant juste le temps de penser à une attaque d'apoplexie.

Mon étonnement fut grand de continuer à me sentir vivre, en dépit du vertige. Je risquai donc un nouvel effort vers la lampe avec le même résultat. Alors, sans mouvement, et demeurant en travers du lit qui tanguait, je pris le parti d'attendre le jour. Il mit fort longtemps à venir et me montra une chambre dansante dont le plafond fonçait sur moi. Plus tard, quand ma mère affolée tenta de me faire prendre la tasse de café qu'elle m'apportait, je dus constater et lui avouer que j'avais perdu non seulement le peu de mobilité qui me restait, mais le sens de la direction avec celui de l'équilibre. Me redresser m'était impossible, saisir quelque chose, aussi. Pour approcher de cette tasse, je ramai dans le vide entre deux ou trois mains sans distinguer la bonne. Et ces trois mains avec leurs tasses allaient, venaient, comme les poutres, frappées de danse de Saint-Guy.

Médecins et élongateur accoururent, jurant sur tous leurs dieux hippocratiques que le cabestan n'y était pour rien. Tout l'arsenal des hypnotiques s'abattit pour tenter de calmer ce vertige. Mais lui était plus fort et surtout plus subtil !

On me donna tous les médicaments imaginables — sans succès. Je ne pouvais plus même soulever ma tête ? Eh bien ! je n'avais qu'à rester couchée ! D'ailleurs, comment faire autrement ? Cette chambre, cette fenêtre et ce plafond tanguant augmentaient ma nausée ? Je n'avais qu'à faire la nuit et à garder les yeux fermés ! L'immobilité serait excellente à mes os malades, et le noir me calmerait, m'aiderait peut-être à dormir ! Saisir un bol, m'asseoir pour boire étaient devenus impossibles ? Eh bien ! quelqu'un m'abreuverait à l'aide d'un canard en porcelaine ! Bruit, visites, insomnies et cauchemars ajoutaient à mes troubles ? On fit fermer ma porte et mes volets et, outre les médicaments spécifiques de l'arthritisme, grossis des calciums divers, des vitamines, des hormones, il n'y avait qu'à prendre des hypnotiques jusqu'à ce que cédât la crise.

Les donneurs d'espoir de mon entourage y allaient de tout leur cœur sans soupçonner combien ils chantaient faux. « Dans le fond, disaient-ils, quelle chance que cette cure de lit forcée ! Le vertige se calmera. Le surmenage se résoudra tout naturellement. Les vertèbres malades s'ankyloseront peu à peu, les pincements deviendront ainsi impossibles, la douleur mourra de sa belle mort. Ce qu'il fallait démontrer ! »

Je finissais par admettre à mon tour que la mobilité des vertèbres sacrées n'est pas indispensable, en somme... Donc, il fallait soigner le rhumatisme d'une part, et, de l'autre, hâter l'ankylose. Je compris une fois qu'elle était ma seule ressource, faute de quoi il faudrait me plâtrer.

Les semaines, les mois se succédèrent sans aucun changement. L'optimisme forcé devenait difficile. Multipliant et variant ordonnances et consultations, les médecins restaient impuissants et silencieux. Je les voyais se battre, bien se battre, sans accepter d'être battus. Mais je commençais à comprendre...

Après la désinvolture juvénile de jadis, après le désarroi de l'âge mûr devant cette dernière offensive et sa récente aggravation, après ma révolte devant la maladie déclarée qui tenait la science en échec, il fallait donc à présent m'installer dans cette existence de paralytique, abandonner le livre en train, renoncer au travail, au devoir, aux obligations et aux responsabilités — à l'existence, pour tout dire. L'espoir me vint que le corps, ainsi malmené, capitulerait assez vite. Mais je devais apprendre à mes dépens que l'on met longtemps pour mourir et même pour ne pas mourir, canards de jus de fruit sur canards de lait, dans un lit, sans nulle dépense physique.

Fermée au monde dans cette prison de tourments, mon unique ressource était de tourner au grand ralenti dans ma mémoire le film de mes années passées. C'eût été le moment de ruminer l'apport de tant de livres avalés trop rapidement, celui de tant d'amis éminents, tant d'artistes écoutés trop distraitement, de tant d'idées à peine effleurées, tant d'expériences vécues avec trop de légèreté — bref, c'eût été le moment de faire le point, sur tous les points.

Mais j'appris encore quelque chose à mes dépens : que trop souffrir empêche de bien penser, et même de penser tout court. A un certain niveau, j'imagine, si la douleur laisse au corps la possibilité d'une certaine sérénité objective, d'un certain pouvoir d'abstraction, il est possible qu'elle instruise, enrichisse, élève. Mais dépassé ce seuil, si elle se plante trop profondément, si elle vous ravage et, à la lettre, vous éblouit de mal, alors l'esprit sombre, avec le corps et par lui, dans un véritable et total abrutissement.

Parfois, après des drogues soi-disant curatives et des comprimés sédatifs, les paupières serrées pour ne pas voir danser la chambre aux volets à peine entrouverts, j'écoutais un concert que quelqu'un venait me donner à la radio ou au gramophone. Musique, aile pour l'évasion ! Mais ce bienfait même m'était mesuré. Dans la désagrégation due au mal, au vertige, à la paralysie, voici que cette perfection, ces sommets de Bach, Beethoven, Mozart, ces cantates, ces symphonies, me devenaient du bruit, et du bruit malfaisant. C'était tout perdre avec l'essentiel. Plus aucune évasion possible.

Une consultation nouvelle vint m'éclairer, sans le vouloir. Ils étaient là, dans la pièce à côté de ma chambre, les cinq ou six savants qui m'avaient réexaminée. Parmi eux, l'oculiste avait déclaré mes rétines intactes et nullement responsables de l'épouvantable vertige. Pour ne rien perdre de l'élément comique, un jeune ami vétérinaire s'était même ajouté à la consultation, disant, pour tenter de me faire rire, qu'une terrienne comme moi, surtout doublée d'une bergère, aurait dû s'en tenir à son avis à lui : de médecin des chèvres. Mais il plaisantait mal et je n'avais ni besoin ni envie de donner le change et de rire faux. A présent, à voix basse, ils discutaient ensemble, derrière cette porte mal fermée d'un loquet rétif. Les voix provençales aussi sont rétives. On ne chuchote pas longtemps dans ce pays, et d'autre part l'ouïe des malades s'affine. Nul n'y prenait garde, à côté. Ainsi, j'entendis tout à coup :

— ...En tout cas, elle est grabataire pour toujours...

A un chut ! discret, le ton baissa et le chuchotement

reprit. J'en savais bien assez. En somme, vertèbres à part, ma santé résistait fermement à la maladie et me condamnait à durer dans ma carcasse pour toujours immobile. Tous les problèmes se posaient. J'avais, hélas, du temps pour les étudier, mais les résoudre était une autre affaire !

Un de mes plus proches amis vint aux nouvelles. Je ne lui cachai pas mon découragement. Il me proposa d'essayer d'un traitement d'acupuncture. Lui-même avait été guéri d'une crise de rhumatisme qui n'avait jamais reparu, par le simple jeu des aiguilles. Si je croyais n'avoir plus rien à perdre, pourquoi ne pas tout tenter ? D'abord, je n'aurais pas de reproche à me faire. Ensuite, il se pouvait qu'on gagnât quelque chose. Enfin, tout le monde y tenait.

Croire au miracle, non ! Mais la droiture m'obligeait à accepter tant de logique et d'empressement si affectueux.

Le lendemain, bourrée de nautamine pour supporter le voyage en voiture, je fus déposée, à la lettre, dans le cabinet du docteur. Je dus fermer les yeux car je voyais trois ou quatre docteurs faisant autour de moi un dessin animé apparenté au cauchemar. Mis au courant de la maladie, des troubles vertigineux et nauséeux qui dataient des élongations, c'est au vertige qu'il s'attaqua d'abord. Il me planta quelques aiguilles le long du cou et, tout de suite, le mal de mer stoppé, j'ouvris les yeux pour voir le monde vaciller et se remettre droit. Puis, au long des vertèbres lombaires et sacrées, le jeu des aiguilles calma, non pas la somme des douleurs, mais, peu à peu, ce qu'elles avaient d'insupportable.

On pouvait croire, donc, qu'une amélioration instantanément amorcée continuerait de jour en jour. Mais, comme le simple allégement peut ressembler à une guérison, la préfigurer, l'être déjà en puissance ! Quelle découverte enivrante ! Au bout de cette première séance, c'est vrai, je me levai sur mes deux pieds et retrouvai, surprise, une terre d'aplomb et solide, puis la rue, solide de même. Nul passant ne s'étonnait de me voir là, debout, marcher sans aide puis monter en voiture. Nul, surtout, ne s'apitoyait !

Bien sûr, ce ne fut pas d'un coup, d'un seul, la pleine guérison ! Il fallut revenir tous les jours d'abord, puis un jour sur deux, puis deux fois, puis une fois par semaine, afin de consolider, du bout de ces aiguilles, ce *je ne sais quoi*, cet influx nerveux plein de mystère qui stoppait le vertige, allégeait la raideur quand elle tentait de recommencer, émoussait les élancements vertébraux. Car ils n'avaient pas dit leur dernier mot si vite ! Cependant, à chaque séance, tout se calmait et s'ordonnait davantage et pour plus longtemps. Que demander d'autre ? J'étais et je demeure émerveillée.

Mes médecins traitants l'étaient autant que moi. Ils me permirent de quitter le lit, mais à la condition de porter un lombostat, corset à lames et à tiges de fer, qui me maintiendrait raide et empêcherait tout faux mouvement, non seulement douloureux mais dangereux. Continuant à prendre du calcium sous toutes ses formes, je restais, sur leur ordre, le plus longtemps possible allongée, tout à fait à plat.

Il y avait tant à calmer, tant à réparer, tant à doper par la voie des aiguilles qu'il fallut bien quinze à dix-huit séances pour me rendre quelque mobilité et me permettre de faire bon ménage avec ce fonds de douleur obstiné qui

17

diminuait, certes, mais ne cédait pas encore complètement.

Une interruption de quelques semaines devait permettre de savoir où en étaient les choses, comment le corps, les nerfs se comportaient, réduits à eux-mêmes, et à eux seuls. Ç'aurait été satisfaisant si, l'hiver arrivant, il n'avait rouillé de nouveau les articulations.

Je repris donc les séances et les continuai jusqu'au printemps, les espaçant, les rapprochant, suivant l'état de mes vertèbres.

La vraie preuve du mieux total c'est que, souffrant modérément, avec des répits merveilleux les jours de chaleur claire et sèche, j'avais assez apprivoisé le mal pour recommencer à écrire. Même, comme après tant de mois de maladie je me sentais bien faible devant un vrai travail, voici que les aiguilles me redonnèrent d'emblée le tonus de jadis, me lavèrent de la fatigue nerveuse et intellectuelle, et rétablirent, meilleure que jamais, une tension artérielle tombée très bas. Ainsi radoubée, je pouvais écrire, demi-couchée, le dos et la tête appuyés sur des coussins , la machine à écrire, où l'on peut tapoter de loin, posée sur une table mobile d'hôpital. Chacun sait combien un travail repris peut aider à la guérison en vous ouvrant son monde à lui, en vous sortant de la fatale obsession de vous-même, en vous aidant à vous oublier tout à fait au profit d'*autre chose* qui vous dépasse et vous dépayse. Mais c'est la confiance tranquille du docteur, sa patience à *clouer* et *reclouer* du bout de ses aiguilles les papillons néfastes des douleurs et de la lassitude, qui aidaient le plus efficacement mon désir d'en sortir — de vivre.

Le dos céda d'abord, lui, le premier malade, cependant

que le cou demeurait raide et douloureux. Mais les aiguilles y mettaient le même entêtement.

Ni le docteur ni moi ne nous décourageons. Si je travaillais davantage pour rattraper le temps perdu et oublier ces handicaps de ma longue réclusion passée, lui, réparait avec patience les méfaits de ce surmenage qu'il réprouvait, mais encourageait d'autre part, persuadé que le moral aiderait ainsi le physique.

De même qu'alitée j'avais dû m'installer à contrecœur dans l'impuissance et la maladie incurable, je m'installais à présent, résignée, aidée par le travail, dans cet état de convalescence que je jugeais sans fin. Les aiguilles salvatrices et les massages aux ultra-sons la rendaient même assez légère pour que je puisse m'y dire confortable. Il ne fallait qu'exagérer un peu. Je devais bien cela à mes docteurs et à mon entourage ! Je le sais : on ne peut guérir une lésion nerveuse, ni guérir tout à fait un tempérament arthritique. Le tout était, pour moi, de ne plus souffrir exagérément, de demeurer dans le *possible*, cet équilibre entre bien et mal qu'est la vie. Je savais maintenant qu'on pouvait m'y aider.

Tous les systèmes nerveux ne doivent pas réagir de même aux traitements. A celui des aiguilles, le mien faisait merveille. Quelle chance qu'un tel atout ! Ainsi, tout en sachant que je demeurerais malade, je me réjouissais d'échapper à ce *trop souffrir* qui équivaut à l'abrutissement. Ensuite, j'avais toute confiance. J'ai conservé intact le pouvoir d'espérer, de croire. Comme pour les nerfs trop sensibles qui vous jouent bien des mauvais tours, cette volonté d'avoir foi est tout ensemble une faiblesse et une force. J'oublie vite, dédaigne ou rectifie comme je peux les erreurs de cette *faiblesse*, mais je me fortifie et me réjouis des succès, bien plus nombreux et plus précieux, de cette *force*. Je ne veux pas tracer ici mon portrait psychologique, me rendre intéressante ni *faire une histoire* de mon cas. Je ne désire que donner cette confiance à ceux qui vivent dans les mêmes angoisses et désespèrent dans les mêmes tâtonnements.

Qui a prétendu que l'Inattendu arrive toujours ? Il surgit chez moi, un matin de ce février 1956 qui tuait toute la végétation de Provence et me rencoignait dans mon immobilité de chrysalide. Période atroce pour tous, mais moins pour moi, acagnardée au chaud du lit. Parce que je souffrais de façon supportable, je pouvais vivre avec la maladie apprivoisée et travailler sur ma table d'infirme. La musique, les livres d'autrui me délassaient de mon propre travail. Je n'avais à braver le gel, la neige, la tempête que dans telle ou telle voiture pour aller demander au médecin acupuncteur un peu plus de souplesse aux vertèbres, moins de douleurs, plus d'énergie pour tenir le coup et attendre le printemps qui viendrait et la fin du livre en chantier. Qu'est-ce qui pouvait changer jusque-là ? Quel Inattendu pouvait surgir de ce monde mort sous le gel ?

Ce fut un écrivain et journaliste de Paris épris de la Provence. *Le Pays où fleurit l'oranger* !... Voir les Alpilles sous la neige par vingt degrés sous zéro le tentait. En fait d'orangers, d'éternel printemps, les oliviers mouraient dans cet hiver de Sibérie. Pendant que la tempête, ajoutant au désastre, retenait le touriste entre mon feu et ma table d'hôpital, je dus lui conter mon histoire, depuis la chute, vieille de plusieurs lustres, les catastrophes vertébrales, et les élongations, jusqu'aux aiguilles bénéfiques.

Il se frappa le front, fouilla dans sa serviette de bon professionnel, en sortit un long reportage qu'il avait publié[2] sur l'eau de mer chauffée dont on soigne à Roscoff toutes les formes d'arthritisme, entre autres l'auto-intoxication des sédentaires, qui lui paraissaient justement responsables de mon état. Pour me convaincre, il me conta sa maladie et sa guérison. Par bonheur, ce cas, bien exposé par le patient, n'est pas le mien. Il peut éclairer des lecteurs. Voilà pourquoi je le transcris exactement :

« Au début de 1955, j'éprouvai un étrange malaise. Très fréquemment, au cours de la journée, j'avais subitement mal à une vertèbre, et à un point très précis au toucher. Cette douleur s'accentuait dès que j'avais à porter un paquet, même léger, ou simplement ma serviette bourrée de livres.

« Un ami médecin m'orienta vers un vertébrothérapeute. Après examen, celui-ci me déclara que j'avais une vertèbre déplacée et qu'il allait y mettre bon ordre. Je fus soigné par lui pendant huit séances durant lesquelles — après des manipulations diverses — il me tapait sur l'une ou l'autre vertèbre avec ce qu'il appelait son marteau et sa gouge. Après la huitième séance, c'est toute la journée que j'avais mal à cette vertèbre, avec une sensation lancinante de

2. Dans *Constellation*, août 1955, André Mahé « Cures à l'eau de mer chaude en Bretagne ».

coup de poignard au moindre effort, et la nuit je ne savais plus comment me placer pour ne pas souffrir. J'arrêtai le traitement, et le phénomène douloureux diminua petit à petit pour se stabiliser comme au point de départ.

« Un second médecin me dirigea sur un autre vertébrothérapeute. Celui-ci me déclara que je n'avais rien aux vertèbres proprement dites mais un décalage général de la colonne vertébrale, dû à une luxation du bassin consécutive à une chute. Ce diagnostic me rendit confiance, car j'étais effectivement tombé violemment en janvier sur le verglas. Après seulement trois séances, le praticien me déclara guéri, ce qui me surprit assez car la sensation douloureuse persistait, sans aggravation pourtant cette fois. Elle persista si bien que je retournai voir mon second médecin pour lui faire part de cet échec. Très surpris, il me conseilla un troisième vertébrothérapeute. Ce dernier recommença diverses manipulations. Au bout de trois séances je recommençai à avoir plus mal qu'au début de la nouvelle expérience. En désespoir de cause, je cessai de me soigner tout en me demandant si j'allais rester ainsi diminué.

« Le hasard d'une enquête pour ma Revue me conduisit à l'Institut Marin de Roscoff. Dès le premier jour, après avoir conversé avec les malades en traitement, et comme je devais rester une semaine environ pour mon travail, je demandai au Docteur s'il pouvait quelque chose pour moi. Après m'avoir examiné longuement, il déclara ma colonne vertébrale intacte.

— Nous allons chercher ailleurs, me dit-il. Je vois à peu près ce que je vais trouver.

« Il me fit étendre sur le ventre et commença à me palper le tissu sous-cutané du haut de la colonne vertébrale, puis de la région du trapèze. A ce niveau, je sentis instantanément une douleur violente, presque insupportable.

— C'est là, dit le docteur, qu'est le siège du mal. J'avoue que je crus alors à une fantaisie d'un autre genre, ne pouvant imaginer un rapport quelconque entre une douleur nettement localisée à une pointe osseuse, et une autre douleur située au niveau du tissu sous-cutané. Je pensai toutefois que des massages et la balnéothérapie marine ne pouvaient qu'améliorer mon état général, et je suivis le traitement. Au bout d'une huitaine, à la veille de mon départ, la douleur avait complètement disparu. Quand j'en remerciai le docteur, il me répondit qu'il ne croyait pas à une guérison définitive, la cure ayant été trop courte. En effet, vers le 15 août, après une enquête épuisante où j'avais perdu le bénéfice de mes vacances, la douleur reparut, plus légère d'ailleurs qu'auparavant, et je me décidai à aller passer quinze jours à Roscoff. Depuis, j'ignore de nouveau que j'ai une colonne vertébrale.

« Pendant mon premier séjour j'avais étudié de près, pour mon enquête, les procédés employés par l'Institut et les résultats qu'on y obtenait. Entre temps, mon article avait paru, suscitant un afflux considérable de malades à Roscoff. Pendant ma deuxième cure j'ai pu me rendre compte qu'on y soignait beaucoup de cas analogues au mien, en obtenant, selon le degré du mal, soit de vraies guérisons, soit, tout au moins, des améliorations considérables. »

Encore une fois, sans croire au miracle, j'admis qu'il fallait tenter cette chance. Si je gagnais encore quelque chose, tant mieux ! En mettant les choses au pire, qu'avais-je à perdre ? Je pensai de nouveau : « N'ayons rien à nous reprocher ! » Ainsi fut décidée ma cure d'été à Roscoff, à la condition que mes médecins traitants fussent d'accord.

Tous pensèrent que des bains de mer chauds, un changement d'air et de vie radical, des sortes de vacances — ce qui ne m'était plus arrivé depuis tant d'années — ne pouvaient qu'être favorables. L'acupuncteur espérait davantage :

« — Je crois, dit-il, aux agents naturels et à la mer. Je connais bien les travaux de René Quinton sur *L'eau de mer* et les résultats étonnants obtenus pas son plasma, qui, s'attaquant à la racine même des troubles principaux (perturbation du *milieu vital*, selon Quinton), a ramené et ramène à la vie tant de nourrissons condamnés. On a des établissements de bains de mer le long des côtes méditerranéennes, même j'ai lu qu'on y a des projets futurs. Il existe, en tout cas, des bains chauds à Marseille. On y soigne avec grand succès diverses maladies dont des séquelles tuberculeuses ; les rhumatismes, je l'ignore. Puisque Roscoff est pour cela spécialement équipé, et qu'il a fait ses preuves, essayez de Roscoff. Je suis certain que vous y serez soulagée. La chaleur d'une part, la mobilisation des membres douloureux en milieu chaud liquide, en particulier, d'autre part les massages qui continueront ceux que je vous fais aux ultra-sons, ce qu'on nomme les *oligo-éléments*

24

de l'eau de mer qui corrigeront vos carences, le repos dans un air nouveau, particulièrement riche en iode, amélioreront sûrement une santé, au fond, solide. Elle est seulement victime d'un tempérament arthritique qui, combiné à la vie sédentaire et surmenée d'un écrivain, vous ont menée à cet état de sérieuse auto-intoxication. Je suis curieux des résultats. J'attends déjà impatiemment votre retour. Vous serez le cobaye du Midi soigné par le Nord. »

II

ROSCOFF ET L'INSTITUT MARIN

Rien ne diffère autant de ma Provence que cette lointaine Bretagne. Quitter mon pays de calcaire blanc, d'air sec, de ciel bleu, de soleil, de Méditerranée rieuse et atterrir à Roscoff, dans le gris... Car tout y est gris : murs, toits, nuages, pignons aigus, flèches d'église, et tout autour le cimetière ancien aux dalles du même granit.

Les portes basses, les fenêtres étroites des maisons, si fermées sur le monde extérieur, quel étonnement ! Chez nous le seuil clair s'ouvre à tous : aux gens qui passent, au soleil et aux vents.

Et cette pluie qui volontiers menace, à moins que ce ne soient, même en juin, du crachin, du brouillard, de la bruine, toute la gamme de l'humide au mouillé.

Mais surtout cette mer, verte autour des rocs sombres, cette mer qui se sauve pendant six heures, laissant un gâchis d'algues, d'eaux éparses et de bestioles déroutées ! Cette mer incertaine qui fuit pour revenir, et même si rapidement dans les criques étroites qu'elle y surprend son monde et peut noyer les imprudents. Nulle familiarité n'est possible avec cette froide grandeur, dans cet air non moins froid, sous un ciel si sévère. Je suis ici une étrangère qui étrangère restera. O rire des ondes sur nos îlots grecs et leur tiédeur perpétuelle dont il me vient, d'emblée, la nostalgie ! Soleil qui se casse en cent mille à la crête de chaque vague, de Marseille aux bords africains ! O marée de deux centimètres dont nous nous moquons, parce qu'un marégraphe les enregistre officiellement ! Mer bleue sur qui l'on peut compter, allègre mer, si vive, hérissée au mistral qui dévale du Rhône, et qui ne ris que mieux sous ses agaceries *mare nostrum* d'où naquit Aphrodite, que tu es loin !

La Science dit que tout être vivant est adapté à son climat, et que toute variation de celui-ci influence son organisme. Je suis si adaptée au mien par hérédité, donc tempérament, par fidélité et plus que par goût : par amour profond, que j'attends de la Manche non seulement un choc mais de multiples, d'imprévisibles chocs. Je sais, en théorie, qu'un effet psychique, propre à toutes les stations en général, s'ajoute encore à celui du climat marin. Mes divers médecins m'en ont déjà parlé. Je peux attendre cet effet psychique en Bretagne, puisqu'il provient du dépaysement, de la coupure brusque avec la vie, le milieu, l'atmosphère, la compagnie, les soucis, le travail habituel, le rythme personnel de l'existence, en somme. Les médecins, les psychologues l'ont remarqué. Dans sa famille, le malade était le centre du cercle affectueux et amical. Il s'y acagnardait, par force, laissant aux autres les soucis matériels et les responsabilités actives. Soudain transplanté hors de sa maison, de son cercle, de son confort, de sa routine, le voici seulement, désormais, un malade parmi tant d'autres, mis, tenu à sa place, astreint à des règles, à une discipline,

27

obligé de faire lui-même l'effort de se soigner, et cet autre effort, moral plus que physique, de se réduire à sa seule mince importance, d'oublier cette hypertrophie que lui avait donnée la vie familiale et ouatée. Il doit devenir actif au lieu de passif. Ses rythmes de vie radicalement transformés, il est forcé de s'oublier un peu et toujours davantage, ainsi noyé parmi d'autres malades, dont beaucoup plus atteints que lui, auxquels, humainement, il va s'intéresser. Dans cet élargissement de ses vues, il va guérir du funeste penchant qui consiste à s'hypnotiser sur son propre cas, dans la solitude, en l'aggravant ainsi par l'autosuggestion. Dans un milieu plus nombreux de malades occupés eux-mêmes à bien se soigner, cet élément faste : la guérison, devient le sujet grandissant des préoccupations et des conversations. Là est le facteur psychique important : s'occuper moins du mal en soi, le négatif, que de la guérison, de la vie renaissante, le constructif. L'espoir reprend racine, on enregistre les progrès plus que les échecs, on les verse pour ainsi dire au fonds général. Cette énergie, cet optimisme qui se fortifient en communauté mettent le malade sur la bonne voie où le mental entraîne le physique.

Même le fait cruel de voir des sujets plus atteints, de nouveaux arrivants, par exemple, plus mal en point, redonne, par comparaison, du courage à ceux qui vont mieux. Chez soi, se comparer aux bien-portants déprime. Se trouver mieux que certains autres vous fait mesurer vos progrès, apprécier tangiblement vos propres chances. Sans parler de l'émulation des malades entre eux, lorsqu'ils sont en train de guérir !

Dans sa brochure sur la *Balnéothérapie du rhumatisme*,

le Docteur allemand Evers-Bad Nenndorf note cet effet et ajoute : « Un autre avantage est constitué par les stimulations intellectuelles qu'offrent la station et la possibilité d'une détente contemplative. La modification du rythme de vie amène une décontraction psycho-physique de la personnalité du malade. Dans le traitement des douleurs purement organiques, cette influence subie par le psychisme joue un rôle important dans les effets d'ensemble de la cure. » Les pédiatres insistent sur cet élément bénéfique de la station et de la compagnie qui se traduit très vite chez l'enfant par l'intérêt curieux, le plaisir qu'inspirent la vie nouvelle et les amis nouveaux, les jeux inédits, bref, la joie.

J'arrive en Bretagne sachant tout cela. Cependant la simple logique me fait redouter par avance une intolérance à la mer nordique. Car, si adaptée que je sois à la *terre* de mon pays, *sa mer*, sa belle Bleue que j'adore, ne m'aime guère. Lorsque, abandonnant mes collines, prise de nostalgie, je descends lui rendre visite, un énervement spécial met tous les dièses à la clé et, radicalement, m'empêche de dormir. De plus, les premiers bains, outre qu'ils rouillent mes articulations, déclenchent une sorte d'hémophilie que je n'éprouve qu'à la mer. J'y ai guéri, jadis, d'un coup, une furonculose due à une intoxication alimentaire, deux ou trois bains, pas plus, m'ayant saignée à blanc. On ne peut pas jouer, on ne peut pas lutter longtemps avec de pareils phénomènes.

Je n'ai même pas besoin d'aller jusqu'aux bains de mer froids pour réveiller rhumatismes et allergie. L'air du rivage seul, d'abord si délicieux, m'emplit bientôt la bouche d'un goût de sel et d'iode brûlant. Mes vêtements et tout ce que je touche s'imprègnent de la même odeur. Je ne fais donc que de brefs séjours sur la côte. Je me disais avec quelque inquiétude : « — Que va-t-il arriver au cours d'une longue station au bord de l'Océan — cet inconnu, cet étranger ? »

Un docteur parisien préalablement consulté à propos de l'intolérance prévisible à cet océan, m'ordonna diverses ampoules contenant les unes du manganèse, les autres de l'iode pour corriger des carences incriminées.

Or, voici le premier miracle : si la Manche et le climat de ses côtes ont influencé, et vivement, mon organisme, c'est dans un sens absolument contraire à celui que nous attendions. On m'avait bien recommandé de m'habituer peu à peu avant la cure, de faire des travaux d'approche auprès de la Manche inconnue. Or, ma chambre d'hôtel ouvrait directement sur la mer qui battait les murs, et le vent, les embruns entraient, comme chez eux, par les fenêtres que je laissai ouvertes. Eh bien ! dès la première nuit, contre toute attente, je fus naufragée de sommeil. C'était peut-être la fatigue du long voyage ? Mais toutes les nuits ressemblèrent à la première. Il me semblait rattraper l'insomnie de toute ma vie précédente. Ni trouble, ni énervement ; au contraire, un calme inconnu. Inconnus aussi ces réveils, légers et euphoriques, ventilés par la brise froide, et cette nouveauté, ce plaisir de la faim, un vrai plaisir et non le vieil acquiescement passif. Ni goût de sel, ni goût d'iode. Plus encore ! Je ne trouvai pas à cette mer bretonne la forte odeur de notre Méditerranée, ni cette salure brûlante quand, par curiosité, je bus une bolée.

Je ne voudrais point paraître de parti-pris, ni être accusée de galéjade. Je donne simplement mes sensations, ne voulant témoigner que de ma seule expérience.

Il y a donc de grandes différences entre ces deux mers, et par conséquent de grandes différences entre les maux divers que l'on y traite. Pour le moment j'en ignorais les causes, me réservant de les étudier. Ce que j'ai fait plus tard comme on le verra par la suite.

M'en tenant aux faits, à l'absence de troubles divers attendus et d'allergie, je laissai les ampoules de manganèse et d'iode en réserve et, sans attendre davantage, entrepris la cure dès le lendemain.

Ouvrons tout d'abord une parenthèse. Si ce livre n'est pas la conséquence d'un vœu, il n'est pas davantage une réclame déguisée à l'égard d'un établissement, de ses méthodes et de son personnel, comme pourrait l'insinuer quelque esprit chagrin ou méchant. Car ni les établissements, ni les méthodes ayant donné leurs preuves, ni le personnel médical de premier ordre ne font défaut en France et ailleurs. Mais c'est en Bretagne, à Roscoff, que j'ai été soignée avec succès, dans le seul Institut Marin équipé contre l'arthritisme. Mon reportage est bien obligé d'en parler, dût-il choquer des modesties. Je ne veux qu'informer les malades, comme j'ai été si heureuse de l'être moi-même, par un pur hasard. C'est à tous ces *moi-même*, écrasés comme je l'étais, que je voudrais parler de la Mer guérisseuse, à ceux qui sont encore aux prises avec le mal.

« O insensé, qui crois que je ne suis par toi ! » Toi que j'ignore, que j'étais, que je suis encore, mais sur l'autre rive de la santé retrouvée, je te crie : « Courage ! » Ignorante des mots savants mais éblouie encore des pouvoirs bienfaisants de la mer et de la nature qui aident ceux qui se confient, je veux te conter une histoire — sombre puis claire : la tienne, la mienne, la leur... Plus sombre elle est d'abord, plus claire elle sera ensuite. Appareillons ensemble vers l'espoir !

Sur la côte du Finistère, dans le romantique Roscoff des corsaires où Marie Stuart, enfant traquée, vint chercher un refuge, est un établissement balnéaire. Bien des traqués actuels de la souffrance y viennent depuis 1899 (sauf les coupures des deux guerres entre 1914-1919 et 1939-1953) et en repartent soulagés. L'histoire commence au siècle dernier.

Un médecin de Saint-Pol-de-Léon, Breton bretonnant de toute son âme, était passionné de biologie. En dehors de sa clientèle, il donnait à Roscoff, ville voisine, le plus clair de son temps. Car, là, depuis 1872 où l'avait fondée le savant Henri de Lacaze-Duthiers, la Station Biologique, prenant toujours plus d'importance, attirait toujours plus de chercheurs. Elle est devenue, depuis ce temps, la première station d'Europe, nantie des laboratoires les plus modernes, les mieux outillés pour les travaux biologiques les plus délicats, tant en physiologie qu'en chimie, et permettant les recherches les plus subtiles.

Le Docteur Louis Bagot fut, dès l'abord, l'un de ces curieux de la Science. Tout enfant, ses expériences avaient fait la terreur de ses parents : ne ferait-il pas sauter la maison ? A présent, pour lui, quelle chance de pouvoir enfin s'adonner sans compter à cette passion de la biologie et y surprendre les secrets de la vie !

Il travaillait aussi à l'Institut Pasteur de Lille et suivait de très près les recherches de tous les savants. Bien entendu le livre de Claude Bernard était son livre de chevet. Une notion nouvelle l'accrocha : celle du *milieu intérieur*.

Creusons un peu cette notion, si nécessaire pour bien comprendre l'histoire qui nous occupe.

Dans son *Introduction à la Médecine Expérimentale*, Claude Bernard écrivait en effet : « La science antique n'a pu concevoir que le milieu extérieur ; mais il faut, pour fonder la science biologique expérimentale, concevoir de plus un *milieu intérieur*. Je crois avoir le premier exprimé clairement cette idée et avoir insisté sur elle pour faire mieux comprendre l'application de l'expérimentation aux êtres vivants... Ce n'est qu'en passant dans le milieu intérieur que les influences du milieu extérieur peuvent nous atteindre, d'où il résulte que la connaissance du milieu extérieur ne nous apprend pas les actions qui prennent naissance dans le milieu intérieur et qui lui sont propres. Le milieu cosmique général est commun aux corps vivants et aux corps bruts ; mais le milieu intérieur, créé par l'organisme, est spécial à chaque être vivant. Or, c'est là le vrai

33

milieu physiologique, c'est celui que le physiologiste et le médecin doivent étudier et connaître... »

Ce milieu intérieur, dira plus tard Cannon, est la « matrice liquide » de notre organisme.

Etudiant aujourd'hui les rapports entre les travaux de Claude Bernard et ceux de René Quinton, André Mahé[1] explique le mécanisme : « Pour subsister, toute cellule vivante doit se trouver dans certaines conditions physico-chimiques : elle a besoin d'eau, de sels minéraux dissous dans cette eau à une certaine concentration, d'une température constante, d'oxygène, de sucre, de graisses.

« Dans les premiers organismes simples, faits d'une seule cellule, toutes les fonctions vitales de nutrition et de désassimilation étaient accomplies par cette cellule qui ne pouvait vivre que dans un milieu aqueux où elle puisait les éléments nutritifs et où elle se débarrassait de ses déchets. Quand les cellules s'agglomérèrent, formant des organismes complexes, les conditions restèrent identiques ; elles le sont toujours pour les innombrables cellules qui constituent notre corps. Mais elles n'ont plus la possibilité d'être en contact direct avec un milieu nourricier extérieur. C'est donc le milieu intérieur qui, par le mouvement de ses liquides constitutifs apporte aux tissus cellulaires les matériaux indispensables à leur vie et les débarrasse des déchets de leur nutrition. Claude Bernard est ainsi le premier auteur qui ait défini l'existence aquatique des colonies cellulaires.

Au début de ses recherches, en 1859-60, il avait d'abord

1. *Ma cure de rajeunissement*, Ed. du Seuil, 1956.

considéré comme seul milieu intérieur le plasma sanguin. Plus tard il y ajouta celui de la lymphe. Puis, en 1878, il définit le milieu intérieur comme étant la totalité des liquides circulant dans l'organisme. Pour subsister, les êtres vivants se défendent contre les variations et les agressions du milieu extérieur en maintenant l'intégrité du milieu intérieur grâce à des mécanismes de compensation, à des actions régulatrices. Il faut donc considérer comme actions régulatrices ayant pour but de maintenir la constance du milieu intérieur : la digestion, la respiration, la circulation, les sécrétions internes, les actions du système nerveux végétatif ».

A la fin du siècle dernier, René Quinton, jeune biologiste, donna un développement nouveau aux travaux de Claude Bernard sur le milieu intérieur en formulant la loi de constance marine : « La vie animale, apparue à l'état de cellule dans la mer, a toujours tendu à maintenir, pour son haut fonctionnement cellulaire à travers la série zoologique, les cellules composant chaque organisme, dans un milieu marin. » Si cette loi est juste, notre organisme n'est qu'un *aquarium marin* et notre milieu intérieur n'est que de l'eau de mer.

Théorie ingénieuse qu'il s'agissait de démontrer.

René Quinton pensa : « Si le milieu intérieur du Vertébré est un milieu marin, comme je le pense, l'eau de mer portée dans un organisme au contact de toutes les cellules par la voie intra-veineuse, devra s'y comporter comme ce milieu, c'est-à-dire ne déterminer aucun accident. En outre, on devrait pouvoir soustraire à un organisme une partie importante de son milieu intérieur, et la remplacer par une

35

quantité équivalente d'eau de mer. Enfin, on devrait pouvoir faire vivre normalement dans l'eau de mer des cellules organiques extraites du milieu intérieur. »

Les conditions si délicates de ces expériences auraient fort bien pu les faire échouer, même si la théorie était juste. Injecter du liquide extérieur à un organisme, c'est lui imposer une surcharge considérable qui, par voie de conséquence, va surmener le rein, organe éliminateur. Saigner préalablement l'organisme pour éviter cette surcharge peut entraîner la mort du sujet. Enfin, tenter de faire vivre dans l'eau de mer le globule blanc choisi par Quinton semblait une gageure, celui-ci — croyait-on, — ne pouvant subsister qu'en milieu organique. Quinton l'avait choisi de préférence à toute autre cellule parce qu'il vit essentiellement de la vie générale de l'organisme, au contact de chaque tissu, au lieu que les autres cellules ne vivent que d'une vie locale. Si l'on réussissait à le faire subsister dans l'eau de mer, la loi de constance marine serait absolument prouvée.

Les expériences du premier groupe portèrent sur un lévrier à qui, pendant 8 heures, on injecta de l'eau de mer jusqu'à 66 % de son poids ; puis sur un chien ordinaire qui en reçut jusqu'à 81 % de son poids ; enfin sur un dogue à qui on en imposa 104 % de son poids. Chez tous les sujets le rein fonctionna admirablement et l'expérience fut concluante.

Dans la seconde série on vida préalablement les chiens d'une partie importante du milieu intérieur et du tissu sanguin dont le rôle est l'oxygénation de l'organisme. Avec le sang vinrent les globules blancs, chargés, eux, de lutter contre l'infection de la plaie, — et l'opération avait été faite sans aucune précaution d'asepsie. Bien que saignés ainsi à blanc les chiens réagirent à merveille et se rétablirent en moins de 24 heures.

La troisième série d'expériences inquiétait le savant. « Cette délicatesse du globule blanc est telle, avouait-il, que je ne me suis résolu à ce groupe d'expériences qu'après le succès des deux premiers, persuadé, avec tous les histologistes, que l'expérience ne pourrait réussir par la fragilité même de la cellule. »

Or, les globules blancs de toutes les espèces : Poissons, Batraciens, Reptiles, Mammifères, Oiseaux, baignés du liquide marin, continuèrent à y vivre normalement pendant une durée probante [2].

Quinton put donc tirer sa conclusion irréfutable : « Entre l'eau de mer et le milieu vital du Vertébré, c'est-à-dire de l'organisation la plus élevée du règne animal et douée de la plus haute puissance vitale, il y a physiologiquement identité. »

C'était une révolution [3].

2. Société de Biologie, 1897 et 1898. Les expériences rapportées ici et la doctrine de René Quinton (plus développées dans le livre d'André Mahé : *Ma cure de rajeunissement*) sont tirées de l'ouvrage capital du savant : *L'eau de mer, milieu organique*, Masson 1904, réédition en 1912.

3. L'identité parfaite de l'eau de mer, milieu extérieur, et du liquide interne, milieu intérieur où baignent les cellules de tout organisme vivant, est aujourd'hui un axiome. La question est allée plus loin. Dans la publication faite par son laboratoire, M. Oliviéro, chimiste biologique, écrivait en 1936 : « Non seulement la composition saline de nos humeurs est le calque de celle de l'eau de mer, mais encore la longueur d'onde des vibrations du cyto-

Comment ce Breton intuitif, ce passionné de la mer, ce médecin physiologiste qu'était le Docteur Louis Bagot, n'aurait-il pas été touché au vif par ces recherches et ces démonstrations ?

Les travaux suivants de René Quinton, utilisant avec grand succès l'eau de mer pour sauver tant de nourrissons mal en point, jetaient encore un jour nouveau sur ses observations. Le docteur voyait arriver des villes bien des enfants anémiés, ganglionnaires, qui reprenaient force et vigueur, dont les glandes fondaient sans autre traitement que la vie au grand air marin, les bains de mer quand le permettait la température, les jeux dans le sable, au soleil lorsque celui-ci voulait bien paraître. Leur taille, leur poids, leurs couleurs, bref leur santé générale s'améliorait rapidement.

Quelque chose encore l'intriguait : des rhumatisants (à qui, toujours, l'on déconseille le bord de l'eau) se trouvaient mieux, se trouvaient bien de passer l'été sur la côte. De toutes ces constatations, des recoupements qu'il faisait, naquit en lui l'idée d'utiliser systématiquement les vertus de la mer pour soulager et pour guérir.

---

plasme dans lequel baignent les chromosomes de nos cellules est absolument la même que celle de l'eau de mer ». Il précise ailleurs sa pensée par cette remarque : « Certains physiciens, tels que Georges Lakhovsky, ont prétendu que c'est parce que le milieu intérieur du noyau cellulaire est le calque parfait de l'eau de mer, que nos cellules peuvent vibrer. Car cette eau de mer constitue un milieu idéalement récepteur et conducteur des ondes électromagnétiques captées ou émises par nos cellules. Cette constatation, très vraisemblable et très curieuse à la fois, se trouve appuyée par l'autorité du Professeur d'Arsonval qui présenta à l'Académie des Sciences les travaux de ce physicien. » *L'Océan-Sérum*, Ed. Laboratoire Oliviéro.

Il fit analyser l'eau et l'air de la côte. On les trouva exceptionnels, particulièrement doués de vertus à Roscoff où règne un micro-climat.

Dans une communication au Congrès International du rhumatisme, en 1932, le docteur Bagot expliquait plus tard que, de fait, le climat de Roscoff, très heureusement tempéré par le voisinage du Gulf-Stream, est excellent pour l'état général. Le calme des grands horizons, de l'infini aux lignes sans violence apaise les yeux, les nerfs et l'esprit. Son air est pur, parce que sans poussières, le sol étant de dur granit. Il est condensé, grâce à une haute pression barométrique, et sans cesse renouvelé par la brise vivifiante du large. Il est, de plus, fortement ionisé. L'ion est une particule infiniment petite, électrisée positivement ou négativement. Or, dans la revue *Cure marine*, M. Dauzère, Directeur de l'Institut et Observatoire de Physique du Globe, du Pic du Midi, fait cette communication : « Les roches granitiques, ignées, argileuses, provenant de la décomposition des granits par l'eau (...) agissent sur les molécules de l'air pour en élever l'ionisation. (...) Les roches sédimentaires ont cette qualité moindre, les roches calcaires, moindre encore... L'atmosphère maritime possède un champ électrique positif à fort potentiel. » Si l'ionisation de l'air, tellement importante pour l'organisme humain, dépend de la constitution géologique du sol par les constituants radioactifs des roches, et se produit à la désintégration de ces roches, plus intensément au niveau des granits, la Bretagne est particulièrement favorisée. Comme partout sur les côtes, l'air est encore ionisé par le mouvement incessant des vagues, les fermentations végétales et animales, mais encore, ici, par le grand mouvement de flux et de reflux des marées. Il se charge aussi d'iode, de brome, de manganèse, de tous les éléments que les algues, laissées à la côte par le reflux, dégagent en s'évaporant. Là encore la Bretagne a l'avantage de posséder la plus grande variété d'algues.

III

LES MYSTÉRIEUX OLIGO-ÉLÉMENTS

« L'algue marine contient en elle la concentration la plus riche des divers éléments dont l'eau de mer tient ses bons effets », écrit l'algologue Paul Gloëss [1]. C'est ainsi qu'en ne considérant que l'iode, par exemple, il a été constaté que cette algue est 500 fois plus riche en iode que l'eau de mer. Un kilogramme de cette algue à l'état frais contient 1 gramme d'iode, tandis que 1 kilogramme d'eau de mer même la plus riche, captée au large, n'en contient que deux milligrammes. Le plasma Quinton, eau de mer ramenée à l'isotonie, en contient encore cinq fois moins que l'eau de mer pure. »

Le même phénomène s'observe dans l'air marin, expliquant ainsi l'effet d'aérosols naturels constaté sur les côtes par les médecins :

« L'air de la mer, écrit encore Paul Gloëss, comme l'eau de mer, contient en suspension de nombreux éléments organisés... Il contient par exemple beaucoup plus d'iode que l'air de l'intérieur des terres, pour ne citer que cet élément

1. *La mer, source de vie*, Ed. Jacques Hammont, 1942.

parmi les nombreux autres éléments véhiculés par l'air. Tandis que l'air marin contient, d'après Armand Gautier, en moyenne 17 milligrammes par mille mètres cubes, l'air de Paris n'en contient que 1,3/10 mmg, et l'air des sommets, à partir de deux mille mètres d'altitude, n'en contient plus du tout. »

Et Paul Gloëss ajoute cette précision intéressante :

« Cela provient précisément du fait que l'iode ne se trouve pas dans l'air, associée à l'oxygène ou à l'azote, mais à l'état d'algues microscopiques. Et ce qui compte pour l'iode compte également pour les nombreux autres éléments contenus dans les algues marines et dont nous avons non moins besoin que de l'iode. Le bien-être ressenti au bord de la mer est dû à ces algues marines microscopiques qui se trouvent en suspension dans l'air. »

Au bord de la mer, la nourriture est généralement fraîche, saine — et même plus saine qu'ailleurs. L'explication en est logique. D'abord elle est fournie en grande partie par la mer elle-même que rien ni personne n'a pu encore sophistiquer. Les poissons et les crustacés, exclusivement nourris de ses éléments à l'état naturel — algues, plancton ou poissons plus petits — ne peuvent qu'être, pour des organismes vivants, des aliments de tout premier ordre. C'est le long des côtes que l'eau de mer est particulièrement riche en plancton à cause des décompositions organiques plus nombreuses. Les crustacés et les poissons — eux-mêmes beaucoup plus nombreux — en ont la chair mieux nourrie. Et l'homme aussi, par voie de conséquence.

Price, le grand explorateur, a constaté que les plus belles, les plus vigoureuses des peuplades sauvages qu'il a connues, sont celles qui se nourrissent le plus abondamment de poissons et de coquillages. On a pu dire avec raison que les fruits de mer constituent une véritable distillerie vivante de corps rares. Or la plupart des sels dissous dans l'eau de mer, des plus abondants aux plus ténus, jusqu'à ceux qui, à l'analyse, se révèlent en trace infime, existent aussi dans notre organisme et y jouent chacun un rôle important. Rien de plus naturel, rien de meilleur pour l'homme qu'une nourriture à base de produits de la mer. Jusqu'aux autres aliments qui sont meilleurs le long des côtes. Car eux aussi, de proche en proche, par un détour subtil, prennent quelque chose à la mer. En effet : cette terre si riche est fumée en partie par les algues de toutes sortes que les hommes amassent, chargent, charrient à marée basse, et répandent ensuite, enfouissent dans leurs champs pour les féconder. Ainsi, l'humus fatigué par une récolte, se régénère grâce à cet engrais vert.

« La terre s'appauvrit continuellement et devient de plus en plus déficiente, écrit Paul Gloëss. Elle s'appauvrit du fait des végétaux qui puisent en elle les éléments nécessaires à leur vie. Elle s'appauvrit aussi et surtout du fait de la pluie qui enlève de la terre, c'est-à-dire du sol arable, tout ce qu'elle peut en désagréger et dissoudre pour en charger les rivières, et le déverser par elles, finalement, dans la mer. L'eau, sous forme de pluie, *lessive* la terre au profit de la mer.

« Pour parer aux appauvrissements successifs de la terre, des végétaux, et par eux des animaux et de nous-mêmes, il faut restituer à la terre les éléments dont les végétaux et surtout la pluie la dépouillent... Mais il n'est hélas ! tenu compte, dans les engrais habituels, que des éléments dominants : l'acide phosphorique, la chaux, la potasse, l'azote, la magnésie, et non de nombreux autres éléments qui, à cause de leurs proportions minimes, ont jusqu'à présent été négligés. Or il est cependant reconnu que ces éléments sont tout autant nécessaires au développement des plantes que les autres éléments dominants précités.

« Les algues marines font un choix parmi les nombreux éléments qui se trouvent disséminés dans l'eau de mer, un choix différent selon leur espèce. C'est ainsi que les Laminaires, variété d'algues brunes, accumulent en elles, en plus grandes quantités, la plupart des éléments qui ne se trouvent dans l'eau de mer que dans des proportions relativement infimes. Par contre elles n'accumulent en elles qu'en bien moindres quantités des éléments qui se trouvent dans l'eau de mer en grandes proportions. Le chlorure de sodium, par exemple, qui dans l'eau de mer représente le principal constituant, ne représente dans les algues marines qu'un constituant relativement infime.

« Pour lutter contre les carences d'éléments indispensables à la vie, et pour lutter en même temps contre les maux qui en découlent, puisons, dans les algues marines reconnues les plus appropriées, les divers éléments faisant défaut. Ils s'y trouvent non seulement dans des proportions nécessaires, mais aussi sous des formes assimilables, vivantes, que la synthèse est incapable d'édifier parce qu'il lui manque ce facteur resté mystérieux, qui fait partie intégrale du cycle de la Vie. »

Et ici, Paul Gloëss retrouve l'énergie solaire : « La limite de pénétration des rayons solaires se situe entre 200 et

300 mètres de profondeur, suivant la transparence de l'eau... Mais la végétation marine la plus abondante et la plus riche se trouve dans la zone située directement sous le niveau de la mer, ne dépassant guère une profondeur de plus d'une trentaine de mètres. C'est pour ce motif que les algues marines passent du vert au brun et au rouge au fur et à mesure que s'approfondit leur zone de croissance. »

Agé aujourd'hui de quatre-vingts ans, Paul Gloëss étudie depuis sa jeunesse les algues marines. Dans son excellent petit ouvrage de vulgarisation, en lançant l'expression de « complexes phyto-marins », il semble avoir été le premier à donner une définition synthétique de la cure marine en associant les possibilités curatives du climat marin, de l'eau de mer et des algues. Il indique aussi qu'on trouve dans les laminaires pour ainsi dire toutes les vitamines nécessaires à la vie : les vitamines hydro-solubles B et C, ainsi que les vitamines lipo-solubles A, D, E et F, et un stérol D spontanément activé par les rayons du soleil.

Dans son journal l'*Océan-Sérum* déjà cité, M. Oliviéro rapporte qu'un trois-mâts norvégien pris par la tempête s'étant réfugié dans l'estuaire du Trieux, près de l'île bretonne de Bréhat, dès qu'ils le purent, les membres de l'équipage descendirent à marée basse et firent ample provision de laminaires. Aux riverains intrigués, ils répondirent : « Nous mâchons ces algues, nous en absorbons le suc vert et rejetons le ligneux. Trois mois de mer nous ont épuisés, les aliments frais nous manquaient à bord et le scorbut commençait à faire ses ravages. » L'expérience immémoriale de leurs devanciers et la leur les avait instruits des vertus de la chlorophylle des laminaires.

45

Commentant ailleurs le livre du docteur Poucel : *La feuille, soleil vivant*, M. Oliviéro précise encore que « l'huile de foie de morue, ainsi que l'a montré Drumont, doit son action au stérol (algostérine) emmagasiné dans le foie du poisson, la présence de cette algostérine ayant pour point de départ les algues chlorophylliennes qui servent de nourriture aux alevins et aux petits poissons. Les algues vertes, en effet, renferment en quantité les vitamines les plus diverses grâce à leurs pigments carotinoïdes ».

Il faut préciser ici cette notion d'*oligo-éléments*. On entend dire couramment que l'eau de mer, les algues, l'air marin contiennent et donnent aux organismes vivants, qui sont sélectifs, ces mystérieux oligo-éléments qui leur sont indispensables et dont l'homme est si dangereusement privé du fait de sa vie civilisée et stérilisée à outrance.

Que sont-ils donc ? Ce sont les éléments constitutifs de l'eau de mer, de l'air ou de la terre, réduits à l'état de quantités infinitésimales.

Dans un lingot d'or, par exemple, l'or est un élément tandis que dans l'eau de mer, où il est à l'état de trace, il est oligo-élément.

L'absence, dans un organisme, de l'un quelconque des constituants nécessaires y cause des troubles certains, plus ou moins graves, souvent déconcertants. Ceux à l'état de traces, autrement dit les *oligo-éléments*, y sont aussi utiles, quelquefois plus, que les autres. Ils jouent parfois, ainsi impondérables, le rôle de catalyseurs.

Reprenons ici l'aphorisme que toute vie, telle Aphrodite, est née de l'onde marine. Ajoutons que, depuis Quinton, cette vérité poétique tout intuitive, a été confirmée brillamment par la science.

Pour fonder sa loi de constance marine, le savant ne s'était pas contenté des preuves physiologiques déjà citées. Il avait voulu y ajouter la preuve chimique : montrer que chez tous les êtres organisés, même chez les Vertébrés supérieurs, les plus évolués à partir de leur origine marine, donc les plus éloignés de la *grande matrice*, la composition minérale du milieu intérieur demeure absolument celle de l'eau de mer. Nous avons déjà vu comment il avait donné cette preuve.

Il établit ainsi la liste des corps simples qui composent cette eau de mer. Les célèbres Tables de Mendéléev donnaient quatre-vingt-douze corps simples qui, se combinant entre eux, réalisaient les différents états de la matière universelle.

Actuellement, ces quatre-vingt-douze éléments ont été isolés dans l'eau de mer par les savants américains Grégory et Overberger [2]. Mais au temps de Quinton, les moyens scientifiques n'avaient pas permis de pousser l'analyse jusqu'à l'extrême. Quinton lui-même avait pu repérer dix-sept de ces corps, en avait isolé douze autres et en traquait cinq que prévoyait son hypothèse. Il avait aussi réparti les sels dissous en quatre groupes quantitativement décroissants :

2. *Scientific American*, octobre 1955.

1er *groupe* : Chlore et sodium faisant ensemble les ..   84/100
2e *groupe* : Soufre, magnésium, potassium, calcium.   14/100
3e *groupe* : Brome, carbone, silicium, fer, azote, am-
monium, fluor, phosphore, lithium, iode,
bore 1,9997/100
4e *groupe* : Arsenic, cuivre, argent, or, zinc, stron-
tium, baryum, césium, pubidium, alumi-
nium, plomb, cobalt 0,0003/100

Quinton démontre ensuite l'analogie de composition des mers anciennes et modernes. Sa loi de constance marine établit bien la ressemblance de composition du milieu inté- rieur et de l'eau de mer, mais elle doit prouver encore que les corps simples s'y trouvent dans les mêmes proportions. Les savants de son temps n'admettent pas que les éléments dont divers travaux sporadiques relèvent des traces dans l'organisme soient comptés comme des constituants — précisément parce qu'ils y sont à l'état de traces. Nous revoici devant les mystérieux oligo-éléments.

« Or, dit Quinton, nous savons aujourd'hui qu'une dose infime d'un élément peut être indispensable à la vie... Les zéros et les virgules qui chiffrent nos dosages ne chiffrent aucunement, du point de vue physiologique, l'importance des éléments les uns par rapport aux autres. Dans l'eau de mer, aussi bien que dans l'organisme, un sel de césium, par exemple, que révèle seule l'analyse spectrale, doit être considéré, jusqu'à preuve absolue du contraire, comme présentant une importance biologique égale à celle du chlore et du sodium qui constituent à eux seuls les 84/100 des sels dissous. ... Sans doute ces 17 corps ne s'y trouvent pour la plupart qu'à l'état infinitésimal, mais, au point de vue biologique, la dose d'un élément dans une dissolution

48

ne mesure aucunement l'importance du rôle qu'il y joue. Il y a toute une micro-chimie physiologique à peine commencée qui montre, à n'en pas douter, le rôle capital que jouent certains corps dans la vie, à doses extraordinairement réduites, et à ces doses seules. »

Précisant sa pensée, le savant ajoute ceci, qui reste d'actualité dans notre époque de falsification poussée à l'extrême : « Le fait a une importance non seulement théorique mais pratique. Il montre avec force l'impossibilité, du moins relative, où nous sommes de composer un aliment ou une eau de mer artificiels. La chimie de la cellule vivante a des besoins que ne peut apprécier, ni satisfaire, la chimie de laboratoire. »

L'analogie frappante de l'eau de mer et du milieu intérieur a été bien établie par le savant. Le chlore et le sodium dominent dans l'une et dans l'autre dans des proportions à peu près égales. Le groupe de sels secondaires y comprend les mêmes radicaux : Potassium, Calcium, Magnésium, Soufre. Ceux du troisième groupe, caractéristiques de l'eau de mer, se dessinent déjà dans le plasma sanguin. Il recherche ensuite dans le milieu vital les corps rares du milieu marin. Tous les éléments connus à l'époque s'y retrouvent dans un rapport quantitatif remarquablement voisin de celui où ils sont dans l'eau de mer. La loi de *constance marine* qui avait conduit son intuition à faire ces recherches a trouvé sa confirmation.

Cette digression indispensable pour éclairer notre lanterne ne nous a pas éloignés du Docteur Louis Bagot. Ces lois d'identité du milieu intérieur de l'homme avec la mer dont il suivait la découverte (complétées aujourd'hui par celle d'infinitésimaux oligo-éléments nouveaux) amenèrent le médecin à préciser, puis à concrétiser son projet. Puisque la mer est bien la matrice du monde, puisque tout ce qui vit en elle, doué d'un pouvoir sélectif, lui prend exactement et seulement ce dont il a besoin, il doit en être de même avec les hommes. Tout organisme carencé doit pouvoir retrouver ce qui lui manque dans ce sein maternel. Il doit s'y compléter et s'y régénérer, y rejeter les poisons étrangers que sa stupide vie chimique, forcée, surmenée, sédentaire a introduits en lui et dont il souffre.

Suivant les données de Quinton et ses méthodes cliniquement éprouvées, le praticien injecta, dans sa clientèle, de l'eau de mer à des enfants déficients. Les résultats furent excellents. Cette eau, ses fils allaient en bateau la puiser loin de la rive, au grand large et à de grandes profondeurs, immergeant des bouteilles qu'ils ouvraient seulement à la profondeur désirée au moyen de ficelles manœuvrant des soupapes.

Dans la publication du laboratoire Oliviéro, l'*Océan-sérum*, je trouve la technique employée aujourd'hui. Elle n'a qu'un peu raffiné celle des enfants du docteur employée au siècle dernier. « La bonbonne lestée de plomb est maintenue par un filin et, avant immersion, soigneusement bouchée d'un liège épais et à frottement lisse. On la jette à la mer et on laisse filer jusqu'à ce que l'opérateur ressente, dans la main qui tient ce filin, un choc brusque, en tout point semblable à celui que ressent un pêcheur quand le poisson a mordu à l'appât. On remonte la bonbonne sur le pont et, à l'ébahissement de l'équipage, on constate qu'elle est pleine d'eau de mer et... *qu'elle est bouchée* tout comme au départ. Il s'est passé le fait suivant : la bonbonne, arrivée à dix mètres de fond, subit de toutes parts une pression d'une atmosphère. Le bouchon glisse dans le goulot, le remplissage se fait d'une manière si instantanée que le liège n'atteint jamais totalement le fond de sa course, si bien que la bonbonne reste fermée. »

Parmi les premiers émules de Quinton, le docteur Bagot sauvait donc à domicile bien des nourrissons ; des enfants souffreteux, portant l'injuste poids d'une hérédité alcoolique ou autre, reprenant vie, forces, couleurs.

Mais le docteur voyait plus grand. Il bâtirait, à Roscoff même, un Institut Marin où soigner les enfants déficients de plus près et en plus grand nombre.

Ce projet fut enfin réalisé en 1899. Dans cette anse gardée par un gros bloc de rocher qui se courbe (*rockroum* en langue bretonne) s'éleva un petit établissement balnéaire qui prit le nom du rocher protecteur. Seulement quelques cabines avec baignoires autour du cabinet de consultation. L'originalité de l'établissement venait de ce qu'on y chauffait l'eau de mer pour habituer les enfants fragiles à son contact, leur éviter ce recul, cette contraction qui, dans l'eau froide, inhibe l'organisme et le rend impénétrable. Les résultats émerveillèrent non seulement les petits malades mais le praticien. Quand la température de la mer libre était trop dure, des adultes prirent l'habitude de venir aussi à Rockroum bénéficier des bains chauds.

Environ vers la même époque, à l'Institut Pasteur de Lille où il poursuivait ses recherches et ses expériences avec le professeur Calmette et le docteur Decoin, le docteur Bagot apprit d'eux qu'une philanthrope, la marquise de Kergariou, voulait créer, quelque part en Bretagne, un établissement pour enfants scrofuleux. Les analyses d'air et d'eau comparées d'un point à l'autre de la côte, l'étude des algues, particulièrement nombreuses et diverses à Roscoff, qui y rendaient si bénéfiques et cet air et cette eau, avaient appris au docteur Bagot que le lieu élu pour un sanatorium était, sans conteste, Roscoff. Il persuada la marquise d'y acheter la presqu'île de Perharidy, précisément en vente. Pour la beauté de l'œuvre, quelle beauté de cadre ! Une plage admirable, de sable ici, de rocs ailleurs, et partout des bois de sapins, de pins, d'essences variées qu'il s'agissait de varier encore et de multiplier — jusqu'à en faire ce vrai paradis qu'est aujourd'hui Perharidy.

Car, bien entendu, la presqu'île fut achetée et le docteur Bagot désigné pour la direction scientifique du futur sanatorium.

Il alla à Berck étudier de près les établissements si méticuleusement mis au point, s'y instruisit de l'expérience d'autrui, en enrichit d'avance la Maison qu'on allait bâtir.

Perharidy est une réplique de Berck. Ce que j'en dis, parce que je le connais de près, s'appliquerait à tous les sanatoria du même ordre où l'on soigne les maladies résultant du rachitisme et de la tuberculose non pulmonaire. Ici non plus je ne veux faire aucune publicité particulière, mais sur un exemple précis, calque d'une infinité d'autres, montrer l'un des aspects de « la mer qui guérit ».

Ce sana, lui aussi, a commencé modestement pour s'agrandir sans cesse suivant les besoins et surtout suivant les fonds disponibles. Il est émouvant de trouver, au cœur du grand établissement actuel, ce cœur, précisément, qu'est le premier. Il était si rationnellement agencé que les bâtiments successifs n'ont eu qu'à tourner concentriquement autour du noyau primitf. Voici le bloc actuel, magnifique avec ses ailes ouvertes sur les deux côtés : soleil d'ici et grand large de là, enfermant des cours à l'abri de tous les vents. L'agencement est très moderne, tant celui du bloc médical que celui des cuisines, salles à manger, dortoirs et chambrettes individuelles, salles de jeux, de fêtes avec scène et écran, belles salles de classes, gaies avec leurs murs couverts de mosaïques, décorés de façon exquise. Les galeries de cure tiennent à la maison ou sont séparées d'elle, situées, en ce cas, le long de la mer, sous auvent ; les alités y sont poussés dans des chariots et y demeurent tout le jour à l'air vivifiant du large auquel les bois de pins, de sapins, de cyprès ajoutent leurs effluves aromatiques.

Perharidy et Rockroum, parallèles, commencés très modestement, continuaient peu à peu à grandir. Le docteur se partageait entre eux. Seul médecin du sanatorium pendant les quinze premières années, il y allait en voiture à cheval, journellement, visiter ses petits malades. Dans ce voyage aller-retour il essuyait vents et tempêtes ; l'eau atteignait parfois le moyeu de ses roues, mais qu'importait à l'homme et au cheval marins ? Sur la presqu'île bénéfique, affluaient les enfants scrofuleux, dévitalisés. Joie de soigner et de guérir ! Mais tristesse de refuser des malades faute de place ! Même aujourd'hui, développés, Perharidy et Rockroum sont toujours trop petits, car les demandes se multiplient plus vite que les bâtiments.

Le sanatorium ne recevait et ne reçoit toujours que des enfants atteints de tuberculose osseuse ou ganglionnaire, de rachitisme, d'anémie, Ils y sont soignés par quatre à cinq cents à la fois, jamais moins de trois mois et parfois pendant des années, et non pas à coups de médicaments, mais par les agents naturels : bains de mer et douches portés à la température convenant à chacun, bains de sable chaud, rouge d'iode au moment des grandes marées, grand air saturé de ce même iode provenant des algues, et d'autres corps rares gazeux, un air qui est, de plus, riche en ultraviolets et en ions, où la respiration régénère le sang au maximum, où le système végétatif retrouve ensemble son équilibre et l'euphorie.

— « Les enfants sont soignés jusqu'à guérison complète, me dit le docteur-traitant, sans autre chimie que la naturelle, un long repos méthodique, une alimentation raisonnée, solide, adaptée aux besoins, aux carences, au tempérament de chacun. Nous les rendons tous prêts à mener une vie normale. Il ne s'agit que de temps, d'hygiène aidant la nature, de calme, de persévérance — et de joie ! » C'est vrai : même allongés et pâlots, ces petits malades sont si heureux qu'ils sont déjà sur la voie d'une santé neuve.

Cependant Rockroum, jumeau du sana, grandissait lui aussi, absorbant à mesure les disponibilités et les forces de celui qui l'avait conçu. Trente, trente-cinq malades arrivèrent à y recevoir des soins parallèles. Ce furent d'abord des Bretons des environs immédiats, puis du reste de la province, puis du nord de la France et de la France entière. Dès 1903, le docteur Fistié, de Bordeaux, présentait sa thèse sur le *Traitement marin à Roscoff*, rendant hommage aux conseils du docteur Louis Bagot et à son expérience de praticien, aux observations cliniques et à celles de climatologie dont il l'avait fait bénéficier.

Si paradoxal que le fait puisse paraître, c'est surtout hors de France que les travaux et les résultats de Rockroum intéressaient alors le monde médical, suscitaient des articles, des rapports, des communications, de nouvelles recherches. Partout, guéris et améliorés faisaient naturellement tache d'huile.

Quels malades affluaient maintenant ? Voici le fait nouveau : ce n'était plus seulement ce contingent d'enfants malingres ou d'adultes craignant l'eau froide, mais, à partir de 1900, des rhumatisants.

Quoi ? des rhumatisants soignés à l'eau de mer ? Oui ! En observant sa clientèle de Saint-Pol, le médecin avait acquis la certitude que l'eau, surtout minéralisée, n'est pas, comme on le croit, forcément néfaste aux rhumatisants. Leur seul ennemi est le froid. Le climat de la côte, s'il peut en hiver leur être contraire, leur est excellent en été. La modification lente de la température de l'eau et de l'air marins leur est encore salutaire en automne.

Ce n'est pourtant pas de là qu'il partit pour traiter chez lui l'arthritisme. Le hasard lui fournit une occasion déterminante.

Une paysanne de Saint-Pol, âgée d'une trentaine d'années, souffrait depuis plusieurs années de douleurs rhumatismales, avec des manifestations articulaires subaiguës affectant les genoux, les poignets, gonflés et extrêmement douloureux, et surtout la nuque, rendant tout mouvement du cou impossible. Dans l'observation clinique transcrite

55

dans sa thèse, le docteur Fistié note que Mme A... ne peut trouver, la nuit, une position de repos sur ses oreillers, et que cet état se prolonge depuis des mois, sans modification par le traitement classique : salicylate de soude, sulfate de quinine, applications locales de salicylate de méthyle et de gaïacol. « Vers la fin de mai 1900, ne constatant aucune amélioration par le traitement précité, écrit le clinicien, Mme A... veut tenter de la médication marine. Elle prend un bain de mer chaud, quotidien, à 38 degrés pendant vingt minutes, et une douche d'eau de mer chaude par semaine. Toute autre médication, interne et externe, est supprimée. En quelques jours, le gonflement avait disparu, les douleurs étaient calmées, les mouvements des articulations, surtout de la tête, rétablis, et la malade quitta Roscoff complètement remise. L'hiver suivant se passa sans crise rhumatismale. En 1901 elle revint prendre une série de bains de mer chauds, mais par prudence, car elle n'avait eu à subir aucun retour offensif de ses rhumatismes. Actuellement, en septembre 1902, elle continue à se très bien porter. »

Je sais que Mme A..., vraiment guérie, a vécu très vieille et que c'était une bien grande joie, pour son médecin, de la voir s'activer aux champs.

« En somme, avait pensé celui-ci en observant Mme A..., qu'est-ce qui différencie notre eau de mer des eaux thermales ? Avant tout, la température. Il n'est donc que de chauffer la nôtre. Quant aux vertus qui proviennent des sels dissous, la nôtre est supérieure à toutes. Car les eaux chaudes souterraines doivent leurs qualités au fait d'avoir léché de vieux fonds marins desséchés. Il est bien évident que les eaux ruisselantes à la surface de la terre ou dessous dissolvent les sels rencontrés, ou les entraînent s'ils sont insolubles, et qu'on les retrouve plus tard dans ce qu'on nomme alors sources minérales ou thermales. Mais la mer, toujours vive, creuset liquide de tous les éléments, demeure par là tellement plus riche ! »

Il faut prévenir une équivoque. La question n'était pas, ne saurait être, de prétendre concurrencer les stations thermales, mais d'en ajouter une : la marine, à de moindres ou à de différentes concentrations minérales, possède tous les éléments des autres et offre ainsi aux individus intoxiqués ou déficients un vaste éventail de remèdes. En effet, grâce à leur minéralisation et à leur concentration particulières, grâce au fait qu'on les utilise au sortir du griffon et encore toutes vives, disons toutes vivantes (car les eaux meurent, elles aussi !), grâce à l'équipement hydrothérapique et kinésithérapeutique spécialisé pour chaque eau dans chaque établissement, grâce à la radio-activité des sources, aux boues, aux gaz, aux nébulisations qu'on leur adjoint parfois, les eaux thermales soignent avec succès telle ou telle affection grave ou telle carence. Une lésion organique déclarée exige, par exemple, un traitement très spécial dans une station thermale particulière, spécialement équipée pour elle. La mer chaude, plus générale, soignant au niveau du fonctionnel, a brillamment raison des troubles de ce fonctionnel et y applique ses techniques originales.

René Quinton et ses écrits ont inspiré cette opinion du Docteur Louis Bagot que j'ai trouvée dans un article remontant déjà loin et expliquant très clairement le phénomène de parenté qui classe la mer comme la plus fondamentale de nos eaux : « Les mers anciennes, dit l'article, ont laissé des témoignages d'elles-mêmes. Des portions de mer, s'isolant, ont fini par être séparées complètement de la masse océanique. L'évaporation ayant fait son œuvre, il nous reste aujourd'hui de ces mers leur matière minérale sous forme de puissantes couches salines étendues sous le sol. (...) Des eaux traversent certains de ces dépôts, s'y minéralisent et donnent naissance à des sources salées. L'analyse de ces sources montre l'analogie frappante de composition entre les mers anciennes et les mers modernes. »

Quinton expliquait aussi la diversité de ces gisements d'origine marine : « Dans l'évaporation spontanée des eaux de mer, la totalité des sels ne se précipite pas d'un seul coup, mais chacun d'eux se dépose à son tour, suivant en général son degré plus ou moins grand de solubilité. »

En somme, ce qui est fragmentaire dans les dépôts salins qui nous restent des mers anciennes et, sporadiquement, guérit diverses maladies, est total dans la mer actuelle. Une fois chauffée comme l'eau thermale, elle peut guérir ou soulager car le corps humain, aussi sélectif que les crustacés, les poissons et les algues, saura, aussi sûrement qu'eux, prendre au milieu marin ce qu'il lui faut et seulement cela.

Mais pourquoi, dira-t-on, cette offre de guérir tant de maux, cette offre si simple, est-elle, en somme, si peu utilisée ? C'est sans doute qu'elle est trop simple, trop accessible, et de là vient qu'on la néglige. L'Antiquité l'a su et a prôné la mer. Arétrée, Celse, Galien, Avicenne ont dit l'influence heureuse de l'air marin jusque dans les affections pulmonaires pour lesquelles, longtemps, on l'a contre-indiqué. Mais ils y ajoutaient, comme Hippocrate, la recommandation d'un exercice varié et une prudence avisée. Plus près de nous, Fallope, Van Elmont, Willis, Boerhaave, Huffelans, Laënnec, plaidèrent pour la mer dans certains cas, sans méconnaître, pour d'autres, la montagne. Aux cures des hauteurs s'ajoutèrent celles des bords de la mer, tant de l'Océan que de la Méditerranée. Aujourd'hui, bien des praticiens suisses envoient en Bretagne les enfants, les convalescents, soignés d'abord aux altitudes, pour que leur organisme y trouve, y prenne ce complément marin indispensable au rétablissement intégral de la vie. Il est amusant de savoir qu'au XVIIe siècle, en France, on soignait par le bain de mer ceux qu'avait mordus un chien enragé. J'apprends par le journal *Semailles* [3] que, « dans le Dictionnaire de l'Académie française (édition de 1718) au mot *baigner* on lit : « Ceux qui sont mordus de chiens enragés se vont baigner à la mer. » Le traitement consistait à jeter à trois reprises le malade, solidement encordé, dans les flots pour l'y laisser mariner chaque fois le temps de marmonner un Ave Maria. C'est ainsi qu'au mois de mars 1671, trois demoiselles d'honneur de la reine Marie-Thérèse, ayant été mordues par un chien enragé, furent condamnées à subir ce genre de supplice rappelant celui de la cale mouillée. Au début de la Restauration, le traitement primitivement destiné aux enragés fut étendu *aux personnes d'une constitution pituiteuse, dont la fibre était molle, inerte et imbibée d'une sérosité surabondante.* »

Pas question, jusqu'ici, de se baigner par simple hygiène

3. 24 août 1956.

ou par plaisir. La mer était réputée si traîtresse et dange-
reuse que la regarder seulement, surtout à l'heure du serein,
était tenu pour pernicieux. On ne s'étonne pas que l'Histoire ait enregistré l'extravagante témérité de Charlemagne
et de Napoléon qui, sous bonne garde il est vrai, osèrent
se baigner en mer. « Boulogne essaya d'attirer la Duchesse
de Berry, la *première baigneuse du royaume*, en lui demandant de venir inaugurer le nouvel établissement de bains [4]. »
Elle le fit en piquant courageusement dant les ondes —
non sans s'être couverte de taffetas ciré. Les bains de mer
étaient lancés. Dans son *Précis de l'Histoire de Boulogne* [5]
le docteur Jean-Baptiste Bertrand, cité par le journal
Semailles, décrit ces bains, pris dans des « voitures élé-
gantes et commodes formant autant de cabinets de toi-
lette pouvant contenir à l'aise plusieurs personnes, qui prenaient les baigneurs au bord de la plage et les conduisaient
au bord de l'eau. Là, ces voitures, attelées chacune d'un
cheval accoutumé à ce genre de travail, restaient immo-
biles. Une tente en coutil y était adaptée, et c'est sous cet
abri que le bain se prenait sans que des regards indiscrets
puissent, en aucune manière, offenser la décence ». Du
reste les costumes étaient si longs, si hermétiques que,
même un regard indiscret n'aurait pu offenser grand-chose.
C'est dans la première de ces voitures encabanées imagi-
nées à Boulogne que se risqua, audacieuse, notre duchesse
de Berry !

Les bains de mer ont, depuis, fait fureur. Mais cependant
ni jadis ni maintenant on n'a encore demandé et on ne

4. Semailles.
5. 1828.

demande à la cure marine tout ce qu'elle est capable de donner.

Sauf, peut-être, chez les anciennes peuplades barbares des côtes et des îles chaudes. « Car, me dit un docteur, les Tahitiens d'avant la civilisation et même d'après, ne se soignaient et ne se soignent guère qu'avec des immersions dans leur mer naturellement échauffée, qu'ils complètent par des massages. Je ne crois pas qu'ils meurent davantage »... Ils se nourrissent aussi à peu près exclusivement de la pêche et des fruits nés en climat marin.

Mais l'importance intuitive de la mer parmi les peuplades sauvages chez qui font loi l'expérience et la tradition millénaires, se voit surtout dans leurs pratiques de magie. Là, se dévoile l'âme la plus secrète, là, l'instinct utilise les faits constatés, les coïncidences aussi, sans doute, pour en faire des rites, ces antidotes de la peur et du mal.

C'est ainsi que les pêcheurs malgaches [6], ayant chassé rituellement un mammifère marin appelé dugong, soignent les maladies des voies respiratoires avec sa dernière côte broyée, exorcisent ceux qui ont mangé des aliments interdits par ses incisives pulvérisées, les plaies suppurantes avec la poudre des os de son crâne, les maux de tête et d'oreilles par sa graisse, la dermatose et la lèpre par son lard, et la constipation avec ce lard cuit dans du riz. Les opercules des murex et des fasciolaires ont des vertus analogues et entrent dans la fabrication des amulettes qui chassent les mauvais esprits. Les Hindous font brûler ces

6. Cf. *L'Océan-Sérum*, publication du laboratoire Oliviéro : M. G. Petit, sous-directeur de laboratoire au Muséum, « La Thérapeutique chez les pêcheurs malgaches. »

opercules dans des baguettes pour calmer les malades et les purifier. Les Arabes en employaient la poudre contre les maux de ventre, de foie, d'estomac, d'utérus, et leur parfum aidait les femmes en mal d'enfant. Les Chinois faisaient bouillir dans l'huile ces mêmes opercules et en composaient un onguent contre les blessures. Tous en révéraient le parfum — qui est d'ailleurs celui, liturgique, de Moïse.

Apprenons mieux, quant à nous, les ressources que la nature met à notre portée avec les océans. « L'eau de mer, écrivait au siècle dernier le docteur J.-B. Fonssagrives, est un admirable médicament. On ne le dédaigne qu'à cause de son abondance. Si, par impossible, le bassin des mers se ratissait et qu'il ne restât çà et là que quelques griffons de cette eau, les malades y courraient comme ils vont aux sources en renom. »

C'est parce qu'il savait tout cela, et qu'il y croyait, que le docteur Bagot soigna Mme A... de ses rhumatismes rebelles dans les baignoires chauffées de Rockroum, et qu'il la guérit.

Désormais, l'arthritisme y fut traité sur de plus larges bases. Aux bains chauds, le docteur ajouta les massages à la main, et au jet, plus ou moins fort, plus ou moins chaud, car la chaleur atténue la souffrance. Il pratiqua aussi la mobilisation et la douche sous l'eau à la température convenant à chacun, et les affusions locales. Plus tard il essaya avec succès les bains et douches de vapeur et d'air chauds le long des membres douloureux. Il obtint des guérisons dont on parla longtemps et même dont on parle encore. Dans sa thèse de 1903 le docteur Fistié cite des

malades guéris de rhumatismes divers, de goutte, de névralgies d'origine arthritique, de sciatique, d'anémie, dont la
chlorose des jeunes filles, d'accidents dus à une mauvaise
circulation, de congestion du foie, d'entérite chronique,
de gastro-entérite infantile. Il cite même quelques cas de
tuberculose pulmonaire où une aération continue est jointe,
pour les uns à des douches chaudes, pour les autres à des
douches tièdes puis froides, ou à la douche écossaise la
partie chaude plus longue que le jet froid. Et ceci, tantôt
tous les jours, tantôt deux fois par jour ou trois fois par
semaine, selon l'état particulier du patient. Chez les uns,
c'est la disparition complète des malaises et de la toux,
chez les autres, dit la note clinique du praticien, « la lésion
pulmonaire passe à l'état latent, compatible avec une sur-
vie prolongée ».

On m'a raconté à Roscoff le cas, resté célèbre parce que
spectaculaire, d'un garçon de 15 ans, menacé d'amputation
des deux pieds, si bien récupéré qu'il devint par la suite
chef Scout de France ; celui d'une vieille demoiselle d'Al-
sace, venue en poussette, repartie sur ses pieds en laissant
sa voiturette pour quelque autre malade.

J'aimais surtout bavarder avec la propre fille du praticien, une religieuse qui faisait sa cure annuelle contre l'arthritisme. Elle doit à son père une santé de fer, mais une
santé qu'il lui a refaite, condamnée qu'elle était à l'impotence, et rebelle à tout traitement. Se voyant pour toujours
infirme alors qu'elle était encore jeune elle écrivit directement à la Supérieure de l'Ordre lui demandant en sa
faveur une dérogation au Règlement. « ... Mon père guérit
chaque année des rhumatisants comme moi. Or, me voici

condamnée sans espoir, à mon âge, moi, son enfant, qui ai suivi ardemment ses travaux et en connais les résultats. » Elle obtint l'autorisation et retourna, percluse mais ravie, dans sa maison d'enfance, revit l'Institut, rêve de son père réalisé, et les malades, leurs progrès, leurs espoirs aussi. Sa maladie, à elle, étant déjà ancienne, le traitement fut long et douloureux, mais la Sœur repartit, sans cannes ni béquilles. Elle n'a cessé de trotter, depuis, elle aussi pour le bien de tous. Ce qu'en riant elle appelle sa vieillesse ferait envie à bien des jeunes. Toute l'année elle se donne sans compter, mais revient chaque été faire sa cure d'entretien.

Entre deux bains et prenant l'air du large ou le soleil sur la terrasse de repos, elle me parle avec ferveur du premier Rockroum et de son père. J'apprends ainsi que, faisant grand cas des travaux menés ici ou là sur ce fléau : la cellulite, le docteur s'y attaqua en même temps qu'à l'arthritisme, joignant, comme les précurseurs et les contemporains auprès desquels il s'instruisait, les massages et la sudation à la balnéothérapie.

IV

LE ROCKROUM ACTUEL

Cette cellulite dont on parle tant aujourd'hui est loin
d'être une nouveauté. Dans l'ouvrage que lui ont consacré
les docteurs Grandmaison et Martin [1], une liste impres-
sionnante de chercheurs (cliniciens, hommes de laboratoire,
kinésithérapeutes) montre que depuis plus d'un siècle, tant
en France qu'à l'étranger, elle est connue, soignée. Mais
ses grands tenants actuels pensent qu'elle est plus généralisée, plus malfaisante encore qu'on ne croit. Parmi ceux-
ci prend place le médecin actuel de Rockroum, René Bagot,
l'un des fils du fondateur.

Deux guerres successives ont fermé l'Institut pendant
plusieurs années. La dernière l'a fait sauter. C'est seulement
en 1953 qu'ayant ressuscité, il a rouvert ses portes neuves.
Et comme le premier, il est déjà bien trop petit.

C'est un établissement aux grandes salles claires — salles
d'attente, de traitement et de loisirs — aux cabines équipées de baignoires, jets sous-marins et tables de massage,
salles de douches au jet réglable en température et en

1. *Les cellulites. Leurs causes. Leurs manifestations cliniques.
Leur traitement*, Droin et Cie, Paris 1950.

65

force, salles de gymnastique que dirige un professionnel, cabines de repos, thermo-lumineux, piscine de 60 mètres cubes où l'eau de mer renouvelée par le flux est maintenue à 27 degrés et où peuvent nager ensemble une quinzaine de personnes. Ainsi, comme aux tout premiers jours de l'Institut primordial, les enfants, les adultes qui, même sans faire de cure, veulent se baigner dans la mer mais craignent le froid, peuvent-ils venir nager à Rockroum. A l'étage supérieur, où se sont ouvertes cette année de nouvelles salles de traitement, sont les cabinets de consultation avec leur salle d'attente, les bureaux, les cuves géantes contenant 3 000 litres d'eau constamment pompée dans la mer et maintenue à 60 degrés par des serpentins. Cette eau est amenée dans le sous-sol où on la chauffe depuis une vaste citerne bâtie au pied de l'Institut. L'eau y est renouvelée deux fois par jour par la marée. Pompage, chauffage, service de blanchisserie, tuyauterie qui conduit, partout accouplées, l'eau chaude et la froide, font de Rockroum un tout parfait. Pensant que trop chauffer l'eau de mer la stérilise en partie, on a prévu de la mélanger à de la froide directement prise à la mer, riche de toutes ses vertus. Ainsi, dans chaque cabine, selon le malade traité, on dose exactement la température qui lui convient.

Lorsqu'on prend un bain dans la mer, l'organisme défend aussitôt sa température intérieure par un phénomène automatique de vaso-constriction. La peau constitue alors une sorte d'écran imperméable. Si, au contraire, on plonge le corps humain dans une eau de mer chaude, le phénomène inverse se produit : phénomène de vaso-dilatation. A travers l'épiderme se font alors les échanges entre le corps immergé et l'eau. Ainsi, un organisme dont le milieu intérieur est en déséquilibre minéral entre dans une phase d'échange avec cette eau de mer qui a conservé son équilibre minéral originel : celui des commencements de toute vie.

Les malades que j'ai vu traiter à Roscoff en même temps que moi y prenaient des bains plus ou moins fréquents et plus ou moins chauds de vingt minutes. Un praticien du thermalisme m'a fait cette remarque que, bien entendu, je suis incapable de discuter et que je donne par souci d'impartialité pure : « La durée du bain, elle aussi, doit être ordonnée suivant le cas de chaque malade, et graduée suivant l'évolution de sa cure. » Je suis certaine qu'à Rockroum on lui aurait fourni une raison et je m'excuse de ne pas la connaître.

J'ai entendu une autre controverse au sujet de l'emploi tel quel de l'eau de mer. « Certes, m'a-t-on dit, la composition de cette eau de mer est analogue à celle de notre milieu intérieur. Mais la concentration des sels y est différente (33 grammes pour 1 000 dans l'Océan et 6,8 grammes pour le milieu intérieur). L'eau de mer est donc hypertonique par rapport à notre organisme et l'immersion risque, en quelque sorte, d'aspirer les éléments dont l'organisme peut être carencé, en même temps qu'elle draine ses toxines. » Ici, je crois connaître une raison en faveur de l'immersion en milieu hypertonique : Rockroum soignant en majorité des arthritiques et des cellulitiques, c'est-à-dire des gens surtout intoxiqués, a tout avantage à drainer d'abord leurs toxines. Si le malade, libéré en grande partie, se sent déprimé après le bain hypertonique, il peut prendre

des bains hyponotoniques qui, eux, corrigent ses insuf-
fisances, dans une baignoire d'eau douce à laquelle on
ajoute un ou deux sachets d'algues, mais en lui maintenant
une concentration moindre que celle du milieu intérieur.
Alors, à travers l'épiderme, les échanges se font du milieu
aqueux extérieur, hypotonique, vers le milieu intérieur
appauvri.

Il va sans dire que, me sentant vraiment cet *ignorant*
dont parle Michelet, je fais état de toutes ces remarques
par souci d'objectivité et décris mes observations et mes
expériences sans me donner le ridicule de conclure.

A l'eau de mer naturelle des baignoires on ajoute aussi
un sachet d'algues. Ces sachets contiennent une grande
variété d'algues déshydratées ayant conservé, chacune, les
éléments spéciaux qu'elles ont pris aux roches, comme
nous l'avons déjà vu. Ce mélange réunit environ dix-huit
sortes d'algues bretonnes, ramassées près ou loin, là où elles
abondent, quelquefois au grand large à d'énormes distan-
ces. Les diverses opérations du ramassage et du traitement
de ces végétaux, ainsi que leur mise en sachets et leur
vente aux particuliers, ne sont pas du tout le fait de l'Institut, qui les achète aux industriels compétents, spécialistes
de la question.

Ces diverses algues, nous les connaissons. Ce sont des
laminaires brunes qui absorbent, on l'a vu, l'iode de l'eau
de mer à peu près exclusivement ; des algues rouges situées
plus profondément dans la masse d'eau et qui se gorgent
de son cuivre ; les fucus ou algues vertes qui fixent le manganèse ; et aussi l'algue dite maërl, algue calcaire issue des
récifs coraliens du Pacifique. Apportées par le Gulf Stream,

ces plantes sans racines, fixées sur un caillou, roulant au gré des courants et des flots, traversent l'océan jusqu'à l'archipel de Glénans (en face de Quimper), mêlées aux algues autochtones, contournent ensemble toute la pointe du Finistère et Brest, voguent au large de Paimpol et repartent vers les côtes d'Irlande. Ces expatriées sont précieuses, étant très riches en calcium, magnésium, fluor et iode. Rouges d'abord, elles blanchissent en vieillissant et, mortes, sont tout à fait blanches, étant alors totalement calcifiées.

D'autre part, ici comme ailleurs, l'érosion joue et le granit des côtes (riche en uranium) se désagrège sans arrêt. Mais il fait plus : il meurt. Qu'est-ce, pour le granit, que mourir ? Ce n'est pas s'émietter, c'est se *désintégrer*, disparaître sous cette forme sensible que je dirai terrestre, humaine, et se disséminer dans l'eau sous cette autre forme, accessible à la seule vue de l'esprit : celle d'avant la création, celle, primordiale, des atomes restitués à cette heure de la *fission*, où, de la mort, va renaître la vie. Car ces éléments simples, ces atomes ainsi libérés, par le trépas cosmique de la *forme*, les revoici dans le sein de la mer, brassés, lancés vers de nouvelles métamorphoses. C'est de ces éléments que, d'après ses besoins et ses affinités, se nourrit chacune des algues. ...Etrange végétal flottant à tout hasard, qui roule, fixé à sa pierre, pour ne jamais prendre racine, ne jamais rien tirer d'un sol quelconque comme le font ces autres, enracinés, nommés varech ou goémon... Et cela vit, cela peut aussi vivifier l'homme...

Ce qu'en géologie on appelle Plateau Breton, se prolonge au-delà des côtes sur cent milles de long, jusqu'à la *fosse centrale* située au large de Guernesey. Là était l'estuaire du Rhin primordial, celui d'avant l'Histoire, le grand fleuve, le Fleuve-Roi de ce qui, un jour, serait notre Europe. Et dans son lit se jetaient tous les fleuves de ce contingent innommé. Le gigantesque Rhin court toujours, au fond de la mer, sur ce plateau breton, et finit toujours au grand gouffre, cette fosse centrale où se rassemblent et se brassent tous les éléments des roches défuntes, particules de l'érosion et atomes dissociés de la désintégration explosive. De cette fosse tournoyante où tombe, abrupt, le grand plateau breton, ces éléments répandus filent de nouveau vers le large. La radio-activité du granit battu à la fois par les flots, les remous, les marées et les tempêtes, se transmet à son tour à la mer qui l'a engendrée. C'est dans ce gouffre, bien connu des marins bretons et des autres, que l'on prendra l'eau de mer pour en faire une eau minérale buvable, si le projet dont on parle prend corps.

Les éléments dissociés et répandus dans l'eau de mer sont ramenés par les marées aux embouchures des rivières et sur les côtes. Là, à cause des rochers sans cesse battus et des algues laissées à marée basse sur la grève, la composition de l'eau est plus particularisée suivant les végétaux et les roches du lieu. Le vent qui souffle de la mer à cette marée basse effleure les algues à découvert, pousse à la terre, y apportant ces effluves divers, et donne ainsi sa richesse particulière au climat côtier. Car les algues en se séchant laissent s'évaporer leurs éléments sous l'influence du seul vent humide venu du large, et non pas du vent sec soufflant de la terre. Le maximum d'effet est obtenu dans les dix minutes de mer basse étale, les dix minutes de grand calme avant la remontée de l'eau qui recouvrira de nouveau et nourrira donc de nouveau les algues appauvries par l'évaporation au bénéfice de l'atmosphère. On peut avoir ainsi le bénéfice d'une cure marine sans avoir pris un bain de mer. Faites l'expérience au bord de l'Océan : quand vous respirez largement au moment de la mer étale, au bord de la prairie vivante que les ondes ont découverte, vous respirez la vie à sa vraie source, dans une euphorie physiologique qui ne ressemble à aucune autre. Et cette vie renaît sans cesse de la mort, mort sans fin elle aussi, des si anciens granits désintégrés.

V

LA LUTTE

Dans ce nouveau Rockroum rouvert depuis 1953 et où j'arrive en juin 1956, me voici donc, consultant à mon tour, racontant ma petite histoire, montrant les radios et les conclusions des médecins. Elles disent :

« Cervicarthrose extrêmement importante intéressant telles et telles vertèbres.

Unco-arthrose postérieure intéressant les trous de conjugaison.

Lombarthrose généralisée.

Rétro-listhésis avec ostéophytose des angles postérieurs des vertèbres intéressées (telles et telles...)

En résumé : Syndrome radiologique de rhumatisme dégénératif généralisé. »

L'arthrose, en somme ! ni plus ni moins que tant de sujets vers la cinquantaine, et aussi ce qu'on nomme des *becs de perroquet*, comme quatre-vingt-dix personnes sur cent en sont atteintes. Ce qui les a favorisés encore pourrait bien être l'ingestion massive de calcium d'abord prescrite et peut-être mal assimilé. Car je pense, après tout, que rien ni personne n'oblige ce calcium à se fixer justement où on le désire.

Mais je souffre et je suis tout à coup immobilisée. Voici le fait. Il faut lutter contre la cause de ces fâcheux effets.

Si j'ai bien compris, avec ces fameux *becs de perroquet* si courants, les tissus avoisinants s'arrangent. On souffre si ces ostéophytes (pour les appeler par leur nom) viennent à toucher un filet nerveux. C'est à ce moment que l'acupuncture, le pétrissage, les massages profonds à la main ou aux ultra-sons tendent à calmer la douleur, et y parviennent en « coupant son circuit » en attendant, précisément, que les tissus voisins soient adaptés. Car tout corps vivant, pour vivre, s'adapte, au rhumatisme dégénératif généralisé comme à tout autre accident physiologique.

Je suis et resterai arthritique : par hérédité, donc par tempérament, et aussi parce que mon métier n'a rien arrangé et n'arrangera rien. Ecrire implique la sédentarité forcée et le surmenage intellectuel. D'où déséquilibre évident, mauvaise circulation, élimination pire, et fixations diverses de déchets, de toxines. Pour moi, entre autres fixations, celle aux vertèbres mises à mal par la chute ancienne incriminée à juste titre. Car (ceci est certain aussi) tout traumatisme sert de prétexte à ces localisations arthritiques. Je ne peux pas savoir quel mal supplémentaire les élongations ont pu faire aux dites vertèbres sacrées, ni même si elles en ont fait un, étant donné la solidité des tissus d'alentour — ces véritables câbles qui tiennent la colonne debout et correctement emboîtée. Pour les vertèbres cervicales, plus fragiles, moins protégées, quatre tractions prolongées qui ont soudain déclenché ce vertige persistant, ont dû léser des enveloppes nerveuses.

Je ne nie pas que chez d'autres malades elles auraient

pu avoir d'autres effets. En thérapeutique (comme partout) il y a plusieurs facteurs en jeu : le malade traité, en tant qu'individu, et le traitement même. Le rapport de ces deux facteurs est délicat, particulier à chaque cas et demeure — en partie au moins — mystérieux. Les résultats seuls prouvent leur action réciproque. Pour moi, décidée à l'optimisme, je m'émerveillerai toujours que le cabestant ne m'ait pas rompu la moelle et guérie à la fois de l'arthrose et de ses douleurs, du vertige et du mal de vivre. L'immobilité de six mois à l'état de piquet, puis de trois ans dans un corset de fer a évidemment aggravé les choses en accumulant des déchets nouveaux. J'apprends donc sans étonnement que de la cellulite s'est fixée çà et là. L'immobilité empêche forcément une élimination correcte, augmente ces dépôts, diminue la mobilité et donc fait souffrir davantage. Or, plus on souffre, moins on bouge, et moins on bouge, plus on souffre. Cercle éminemment vicieux. C'était prendre le chemin, plus ou moins long, de l'impotence.

Une exploration méthodique montra au médecin breton que les deux *carrefours* principaux, des épaules et du bas du dos, si douloureux, si ankylosés, étaient aussi durs que du bois, c'est-à-dire très infiltrés de cellulite. Rien d'étonnant. Mais ce qui était vraiment étonnant, c'est que des points profonds, palpés au sommet interne de l'épaule, au gras du bras, à la hanche, ici, là, où je n'avais jamais eu mal, m'arrachaient brusquement un cri. Toujours la cellulite, mais détectée mystérieusement par un phénomène de douleur à distance. Un schéma indiqua au personnel traitant sur quels points précis il fallait se battre. Quant à vouloir y aider, j'étais prête !

J'ai acquis la certitude que la volonté du malade est de toute première importance. Je crois très fermement à la primauté du psychique. Le corps humain, que la science analytique traite peut-être un peu en objet de marquetterie, est un organisme vivant qui, justement et par définition, veut vivre. Dans ce but, d'instinct, il réagit au milieu, aux difficultés, aux déficiences ; il élimine ce qui le gêne ou lui nuit ; bref, il s'adapte en se créant des compensations, des remplacements personnels. Une conscience volontaire et persévérante ne peut que l'aider. C'est là un point de vue un peu mystique de la vie et, pour employer un grand mot, le fait d'une philosophie plus que d'une thérapeutique. La médecine, s'aidant ici de la nature et de tous les moyens qu'elle offre, s'aidant aussi et surtout du malade, de son moral comme de son physique, a pour but de remettre le patient sur le bon chemin qui conduit à la guérison.

« Lève-toi et marche ! » Dans une très large mesure celui qui veut vraiment marcher finira bien par se lever, pour peu qu'on lui tende la main !

Un malade sans confiance reste malade. Sans s'en douter, c'est contre lui qu'il lutte. J'en ai vu en Bretagne comme ailleurs. Mais j'ai vu les autres aussi : ceux qui veulent s'aider, vivre au plein sens du mot, c'est-à-dire en bonne santé et, dans les pires cas, en meilleure santé, récupérer ce minimum qui rend au moins la vie possible et permet à l'esprit sa pleine liberté.

Ceux-là parlaient moins de leurs maux que de ce qu'ils avaient déjà regagné, et de leurs espoirs. Ils croyaient d'autant plus guérir qu'à chaque progrès minuscule ils le voulaient avec plus de passion. J'ai pris grand intérêt à ces observations, non seulement sur moi mais sur les autres, afin que ce reportage témoigne avec le plus de rigueur possible auprès des souffrants inconnus.

Il n'est pas suffisant de dire que la volonté du patient est l'adjuvant puissant du médecin et de la médecine. Il faut encore préciser que cette volonté doit être sincère et profonde. Bien sûr, en apparence, chacun jure toujours qu'il veut guérir. En profondeur c'est autre chose. On n'imagine pas le nombre de malades qui se réfugient et se cachent dans le cocon de leur malheur, s'en font une sorte de gloire et en tout cas de supériorité, laquelle crée des privilèges, cèdent à la faiblesse douillette et tentante de lâcher les rênes, non seulement de la vie responsable mais de soi-même. Combien aiment faire le mort, comme on dit plaisamment, et sont heureux d'être si malheureux pour être plaints, dorlotés, préférés. Ces partisans de la délectation morose se trouvent parmi ceux qui, complaisamment et sans cesse, décrivent en détail les maux, plus grands que tous, dont ils sont accablés, qu'ils ne méritent pas — comme si quelqu'un méritait son mal ! Quelle volupté vaniteuse d'être ainsi en butte au destin !

Celui qui veut foncièrement guérir s'allie au contraire avec l'homme de l'art, celui qui *sait*, dans l'unique but d'aller mieux et, peu à peu, de se reconquérir. Ainsi il est *déjà* en route. L'esprit de toute cure est justement cette remise en route.

Un fait vient quelquefois décourager les bonnes volontés. Bien connu des spécialistes, il peut surprendre le novice. La cure thermale, marine ou autre, produit souvent ce qu'on nomme le *choc de cure*. Celui-ci arrive généralement

vers la seconde semaine de traitement. Le malade sent alors
son état empirer, perd le sommeil et l'appétit, se sent las.
Les docteurs disent que ces transformations sont en grande
partie de nature psychique, qu'elles se basent sur l'impression confuse des changements intérieurs, tout physiques,
du corps qui réagit. Il faut vaincre cette psychose qui vous
fait craindre l'échec ou la rechute, et poursuivre avec confiance. Même si l'arthrite est plus douloureuse soudain,
l'asthme plus suffocant, les cicatrices irritées, etc., etc.
L'organisme entier entre en jeu. Patience et bonne volonté !
Espoir obstiné avant tout !

Ainsi, à la philosophie biologique à partir de la mer
doit s'ajouter cette autre, la psychique, la philosophie de
la vie tout court, qui se traduit par l'optimisme et plusieurs
sortes de courage.

VI

LES MALADIES TRAITÉES

Voici donc traitées ici toutes les formes de l'arthritisme : rhumatisme articulaire, déformant, généralisé ; puis arthrite simple, poliarthrite ; la série des arthroses (coxarthrose, cervicarthrose, etc.) et, d'autre part, les infiltrations de cellulite qui prennent aussi tant d'aspects et dont vient à bout la diathermie en employant les rayons colorés et le thermo-lumineux.

Grâce aux ressources de la mer, il s'agit de rétablir l'équilibre minéral du corps humain et de lessiver le tissu conjonctif à travers lequel se font les échanges, de le débarrasser des déchets et des toxines dont il est encombré du fait d'une élimination défectueuse. Celle-ci est due, on le sait, à un tempérament arthritique, à une alimentation à la fois intoxicante et carencée, à la sédentarité, au surmenage.

Car le tissu conjonctif réticulo-endothélial et sous-cutané qui enrobe et soutient les organes, n'est pas un simple capiton d'emballage. C'est, dit Bogomoletz[1], « une sorte de tissu élastique, complémentaire du squelette

1. *Comment prolonger la vie.* Collection « Tout savoir », Bibliothèque Française, Paris.

osseux, puisque c'est à travers lui que se font les échanges vitaux. Que la paroi des capillaires par où s'effectuent ces échanges entre les cellules et le sang vienne à se scléroser, la cellule ne sera plus nourrie, les déchets l'intoxiqueront, elle sera empoisonnée par les produits nocifs de sa propre vie ». Il faut ajouter à ces fonctions du tissu conjonctif celle de défendre l'organisme contre l'infection, de permettre aux blessures de se cicatriser, de constituer une réserve de graisse dans le liquide qui la retient entre ses mailles lâches. D'où l'importance de maintenir ou de rendre à nouveau ce tissu sain.

Bogomoletz écrit encore : « L'aspect général et la réactivité physiologique de l'organisme humain dépendent dans une très large mesure de l'état physiologique du tissu conjonctif. » Si *l'homme a l'âge de ses artères*, il a peut-être davantage, suivant le savant russe, « l'âge de son tissu conjonctif ». Si ce tissu conjonctif perd son élasticité physiologique, « toutes les fonctions de l'organisme perdent alors graduellement leur souplesse, leur élasticité, et leur réactivité diminue ».

Tissu conjonctif et milieu intérieur malades sont donc à rénover, et la cure marine s'y emploie activement. Nous avons appris de Claude Bernard et de René Quinton que le liquide interstitiel (ou *milieu intérieur*) composé des divers plasmas organiques (sang, lymphe, sérosités) imprègne le tissu conjonctif, emplit ses mailles lâches et constitue essentiellement le lieu des échanges vitaux. René Quinton précise : « Cet ensemble (de plasmas) constitue un tout homogène, constamment brassé, épuré, renouvelé par la circulation sanguine et lymphatique et par des phénomènes d'osmose. Le *milieu intérieur*, ce liquide extra-cellulaire qui baigne les cellules, soit directement, soit par l'intermédiaire des tissus de conjonction, broche à travers tous les tissus organiques. Il n'est pas lui-même tissu, mais la seule partie purement liquide, non cellulaire des tissus, l'atmosphère liquide où toute cellule, parcelle de matière vivante, trouve le milieu propre à sa vie et à sa rénovation. Le *milieu intérieur*, liquide de culture des cellules organiques, peut être évalué au tiers du poids total de l'organisme. »

C'est revenir, en y insistant, sur son importance et la nécessité de le garder ou de le refaire sain. Dès lors, quoi d'étonnant que, rétablissant l'équilibre minéral du milieu intérieur et lessivant ce tissu conjonctif, l'eau de mer les désintoxique et les enrichisse de ce qui leur manque ?

Avant tout, il importe d'éliminer la cellulite, de beaucoup la pire ennemie.

D'abord, qu'est cette cellulite ? Son nom est devenu banal, mais il semble bien qu'elle-même soit encore mal connue, ou insuffisamment, même dans le corps médical, en dépit des spécialistes qui lui consacrent leurs travaux.

Les docteurs Grandmaison et Martin, dans leur livre déjà cité, *Les Cellulites*, insistent, en techniciens de la question, sur cette affection multiforme encore trop minimisée et sur les moyens de la soigner. « Il arrive parfois, disent-ils, que devant les résultats lamentables d'une thérapeutique ignorant la cellulite, ces malades, livrés à leur triste sort et abandonnés même de leur médecin, se considèrent comme des incurables. Ils vivent en obsédés qui se désespèrent et qui désespèrent leur entourage. C'est à nous de leur redonner confiance par un interrogatoire et un examen consciencieusement menés qui, si les praticiens croient à la cellulite, permettront de leur expliquer patiemment la cause méconnue de leurs tourments. Ce sera la meilleure des psychothérapies et le malade, soigné avec compétence, reprendra goût à la vie et ne tardera pas à retrouver son équilibre nerveux, psychique et moral. »

La cellulite n'est pas uniquement l'affection banale dont se plaignent les femmes d'âge plus ou moins mûr qui prennent de l'embonpoint, fixent de l'eau, se font soigner dans les Instituts de beauté. Ce n'est là qu'une forme — et la plus anodine — de cette maladie qui peut en revêtir tant d'autres. C'est pourquoi le livre des docteurs Grandmaison et Martin s'intitule *Les Cellulites*. A la suite des Alquier, Forestier, Hartenberg, Kouindy et autres chercheurs, ils définissent la cellulite comme « la conséquence de l'infiltration du tissu cellulaire interstitiel par des empâtements, des épaississements, des indurations et des nodosités perceptibles et pouvant déterminer des troubles multiples dont le plus important est la douleur ». Car ces indurations, épaississements, empâtements, nodosités, compriment des filets nerveux. Seul, le massage, manuel ou électrique, dissocie ces masses et les renvoie dans le sang qui les évacue par les émonctoires.

Le docteur René Bagot a précisé lui aussi : « J'ai acquis peu à peu (en clientèle et à l'Institut) la certitude que le tissu cellulaire est le siège de la majorité des phénomènes

81

douloureux. La cellulite, ne produisant pas d'inflammation, n'est décelable qu'au massage des tissus où les bouts des doigts experts explorent le contenu du pli. »

Le terme général de *cellulite* couvre donc des troubles très différents du tissu cellulaire. C'est pourquoi, dès 1933, le docteur Henri Jarricot employa dans sa thèse celui de *cellulies*, et que le docteur René Bagot donna celui de *cellulomes* aux points particuliers qui en sont ce qu'il nomme les *zones-sources*. Il convient donc, comme il est dit plus haut, de distinguer *des cellulites*, allant du trouble banal de rétention d'eau aux scléroses plus ou moins importantes, plus ou moins profondes, plus ou moins camouflées du tissu sous-cutané, troubles qui affectent fréquemment des personnes même très maigres.

Les méfaits apparents ou cachés de ces phénomènes cellulitiques sont très nombreux. Dans un article intitulé « Une grande méconnue : la cellulite », le docteur René Bagot, déplorant qu'elle soit encore et souvent traitée avec légèreté, écrit sur cette maladie décevante : « Je voudrais montrer que la connaissance de la cellulite est indispensable à l'étude de la douleur, non seulement en rhumatologie et dans les états dits rhumatismaux, mais dans tous les syndromes douloureux, quels qu'ils soient ; que la recherche de la souffrance et de l'infiltration des tissus superficiels est un temps nécessaire de tout examen complet, et qu'un grand nombre de travaux scientifiques sont viciés par la méconnaissance d'une affection dont la fréquence est pourtant inimaginable. »

Outre le terrain plus ou moins favorable à l'infiltration cellulitique, certaines causes pathologiques la favorisent, et les autorités médicales la disent arthritique, hépatique, endocrinienne ou microbienne, avec les innombrables combinaisons auxquelles ces origines diverses peuvent donner lieu, étant entendu que toutes résultent « d'une viciation des différents processus de la nutrition, viciation qui possède une réelle affinité avec les divers éléments du tissu conjonctif ». De ce fait, ce dernier jouera mal son double rôle nutritif et éliminatoire : d'où déséquilibre organique, échanges défectueux, amas de déchets, encombrement des humeurs et du sang, irritation et congestions locales, dérèglement de divers organes, sclérose tissulaire. On comprend le nombre d'affections, apparemment sans lien de parenté, qui peuvent en résulter selon les individus, leur tempérament, leur genre de vie, leur milieu. Il n'est pas jusqu'au moral du malade qui n'en soit affecté, le cellulite retentissant sur le système végétatif et le système sympathique, et produisant, dit Madame Besset-Pigeat, l'état anxieux, l'insomnie, la dépression nerveuse.

Un autre mystère est à éclaircir. Ces points douloureux, détectés à la palpation profonde, puis massés, avaient, comme j'ai dit, déclenché une douleur vive. Mais par quel phénomène étrange cette fulgurante douleur, jusqu'ici ignorée, éveillée par le pincement du tissu sous-cutané, avait-elle projeté *à distance* cette autre douleur bien connue, localisée à deux vertèbres ? C'est que ce point sous-cutané (ou *cellulome*) est l'une de ces nombreuses *zones-sources* dont les spécialistes des cellulites ont dressé l'atlas, patients, habiles comme les vieux Chinois qui, voici cinq ou six mille ans, découvrirent et mirent au point cet autre atlas : celui de l'acupuncture.

Sur ce même propos, le docteur Decormeille écrit [2] :
« Les tissus superficiels, derme et tissus sous-dermiques, sont
le siège de lésions pathologiques de type bien spécial. Parmi
ces manifestations, bon nombre représentent la souffrance
réactionnelle d'organes situés à distance. Inversement, par
l'intermédiaire du derme, on peut obtenir des réponses à
distance... Il nous semble que des organes, que des appareils
qui souffrent, extériorisent, le plus souvent au niveau du
derme, le trouble de leur fonctionnement. » Et les docteurs
Grandmaison et Martin [3] : « Il existe aussi des douleurs
cellulitiques réflexes. En effet, quand un organe souffre
pour une raison quelconque, il se produit à son niveau une
sensation douloureuse plus ou moins sourde. Mais il n'est
pas rare de constater chez le même individu une douleur
localisée aux plans cutanés, en des zones variables pour
chaque organe... C'est la cellulite dermique de Paviot et
de Jarricot, symptomatique d'une affection viscérale profonde. »

Ces cellulomes, qui se sclérosent en s'infiltrant de cellulite, se situent, d'après les recherches et les expériences
cliniques, en des points bien déterminés : à la nuque, dans
la région sus-épineuse, la face postérieure du bras, le dos,
la région lombaire, la partie inférieure de la face interne
de la cuisse, la face interne de la jambe, la région thoracique, l'abdomen. Seule, une main très sensible et très
exercée peut les palper, les masser et, ainsi, les désengorger
et les guérir. Chacun de ces points singuliers correspond à
une douleur à distance. Pourquoi ? selon quel mécanisme ?

2. *Maigrir sans larmes*, Collection d'esthétique médicale, 1952.
3. *Op. cit.*

Nul ne le sait. Le fait est là. Le docteur Bagot écrit encore à leur propos : « Toujours j'ai trouvé les zones de cellulite aux points où je savais que j'allais les découvrir, et, toujours, j'ai vu guérir le malade en peu de temps par un traitement approprié, sans appareillages compliqués ni interventions. » Il est persuadé par expérience de « l'interdépendance du cellulome avec l'organe profond ». « Tout se passe, précise-t-il, comme si la présence du cellulome inhibait par voie réflexe une sécrétion interne. » Attaquons-nous donc au massage de ce cellulome pour guérir l'organe. Thérapeutique bien nécessaire de nos jours où, comme le constatait déjà Michelet, nos races d'Occident sont si visiblement atteintes. « Il faut, s'écriait-il, redonner l'homme à sa nature, lui faire aspirer la vie dans les souffles de la mer. Le beau sang rouge, le sang chaud c'est le triomphe de la mer. Voilà le mystère révélé ! »

Depuis le siècle dernier, les choses, pour nous, n'ont fait qu'empirer. Qu'arrive-t-il du fait de nos vies surmenées, rompues aux rythmes anormaux, de l'air vicié de nos villes, de notre alimentation défectueuse ? Que, loin d'être un réservoir d'énergie, notre tissu conjonctif, imprégné de son liquide interstitiel, devient un réservoir de poisons. Plus l'encombrement gagne, moins se font les échanges. Un appauvrissement de tout l'organisme s'ensuit. Moins se font les échanges, plus le sang s'anémie, moins il se défend, et par suite plus augmentent l'encombrement et la toxicité du milieu intérieur qui devrait être nourricier.

La cellulite gagne d'abord ses zones de prédilection, puis les terrains avoisinants, et elle multiplie ses troubles. Après les *carrefours* des épaules et du bas du dos, ce sont la nuque, la région lombaire, les cuisses, les jambes, les hanches, l'abdomen. La cellulite peut accompagner une maladie infectieuse, bien que ne l'étant pas elle-même, mais elle peut aussi être l'unique responsable de douleurs faussement attribuées à d'autres maladies, et ainsi perturber le diagnostic du docteur comme l'organisme du malade.

Localisée au thorax, par exemple, elle peut faire croire à l'angine de poitrine, à la pleurite. Si c'est à l'abdomen, elle ressemble à s'y méprendre à la dyspepsie, à la cholécystite, à l'appendicite. Dans le dos, créant des compressions nerveuses, elle fait souvent soupçonner des lésions cervicales, des névralgies cervico-brachiales ou la crampe des écrivains, alors qu'elle est seule coupable.

Dans le livre des docteurs Grandmaison et Martin qui double ma propre expérience vécue parmi tant de malades, je lis (ce que j'ai pu vérifier sur place) que la cellulite paravertébrale donne des douleurs persistantes et cause l'insomnie. Il suffit que quelque anomalie soit signalée par ailleurs à la colonne vertébrale pour qu'on incrimine ces *becs de perroquet* (ou ostéophytes) que la radio révèle alors et qui sont si courants. Du coup, on attribue la douleur à un ou plusieurs nerfs qu'ils pincent, au rhumatisme, à des vertèbres déplacées, etc. Tout traitement échoue dans ce cas, naturellement, puisqu'on s'attaque à l'effet et non à la cause.

Parfois la cellulite va, en écharpe, des premières vertèbres dorsales au bas du thorax en suivant les côtes. Les douleurs qu'elle cause ressemblent alors soit aux névralgies intercostales soit à une pleurite.

Il est fréquent que les douleurs chroniques provoquées

par les modifications cellulitiques des tissus soient attribuées à des anomalies vertébrales telles que lombalisation, sacralisation, rhumatisme ostéophytique, spina bifida. Cependant, même si de telles anomalies apparaissent sur les radios, le traitement de la cellulite suffit le plus souvent à faire disparaître définitivement l'élément douleur. »

Dans tous ces faux-semblants je peux aisément reconnaître les méfaits de *ma* propre cellulite, et comprendre un peu comment je suis en train de m'en guérir... Beaucoup d'autres malades apprendront peut-être ainsi pourquoi, de quoi ils ont souffert jusqu'ici.

La cellulite de la face interne de la cuisse détermine des douleurs irradiantes au genou, comme dans la luxation congéniale, la subluxation, l'arthrite chronique de la hanche, la coxalgie tuberculeuse. Le massage du cellulome de la cuisse fait disparaître la douleur au genou sans que l'on touche à celui-ci.

Lorsque la cellulite est sur la face interne de la jambe, le long du bord du tibia, on détecte au massage « un cordon longitudinal épaissi, de consistance souvent pâteuse, dans l'épaisseur duquel siègent des nodosités plus ou moins importantes parfois dures comme de l'os ou du métal. Les manifestations douloureuses sont des irradiations à distance ». Elles prennent le talon, puis le pied tout entier, faisant quelquefois leur apparition après une immobilisation de la jambe. En se levant, le malade ne sait plus marcher, ou bien sa jambe ne peut plus trouver de repos. Associées aux douleurs cellulitiques de la région lombaire, ces douleurs de pieds, ces *jambes sans repos* font parfois croire à tort à une sciatique.

La cellulite infiltrant la région thoracique *au-dessus* du sein gauche, provoque une douleur *au-dessous* du sein, au niveau des dernières côtes, ou même à la pointe du cœur. Les battements cardiaques sont modifiés. Le malade éprouve des palpitations, des angoisses, des phénomènes névropathiques allant parfois jusqu'à la neurasthénie.

Lorsque l'infiltration est au niveau de l'épigastre, elle fait diagnostiquer une dyspepsie à cause de la pesanteur après les repas, de la sensation de gonflement, des douleurs d'estomac.

A la région vésiculaire, semblable à de la cholécystite, la douleur qu'elle cause fait accuser le foie qui est plus souvent victime que coupable.

En deux points symétriques au-dessous et en dehors de l'ombilic, les douleurs cellulitiques ressemblent à celles de l'appendicite pour le côté droit, ou à une maladie de l'ovaire chez les femmes.

Le docteur ajoute : « Ceux qui ont étudié la question passionnante des réflexes cutanés et des douleurs irradiées, ont constaté que ces phénomènes sont fréquemment réversibles. Si le dysfonctionnement d'un organe (comme le foie) se manifeste par un point douloureux à la peau, une excitation sur ce point peut à son tour modifier le fonctionnement de l'organe. Les résultats réels de certains traitements tels que l'acupuncture ou la spondylothérapie montrent la réalité de ces actions à distance. Est-il possible qu'un engorgement des tissus au niveau du cellulome (ou point cellulitique) réalise à la longue un trouble fonctionnel de cet organe ? »

Comment l'eau de mer chauffée agit-elle sur la cellulite ?

L'expérience prouve surabondamment qu'elle en favorise a coup sûr la résorption. Est-ce par sa chaleur, sa composition chimique et sa radio-activité conjuguées ? Toujours dans son article « Une grande méconnue : la cellulite » — article qui résume une longue et minutieuse expérience — le docteur Bagot écrit : « L'eau de mer hypertonique, radio-active, vivante, contient tous les éléments histochimiques qui peuvent agir biologiquement sur les tissus. Par irritation des récepteurs périphériques elle stimule et sollicite l'activité de la cellule nerveuse. Peut-être s'y ajoute-t-il des phénomènes d'osmose et de diffusion donnant lieu à des échanges, à travers la peau, entre deux milieux organiques en présence ? » Peut-être aussi faut-il tenir compte d'un bombardement d'ions.

Dans ce sens, le docteur Evers-Bas Nenndorf dit également : « On peut expliquer les effets chimiques des bains minéraux par le passage dans la peau des sels contenus dans l'eau et leur action dans le corps. La transminéralisation de la peau ainsi provoquée modifie l'état fonctionnel de celle-ci, d'où influence exercée sur le système végétatif et les organes endocriniens. »

S'occupant plus spécialement du traitement de la cellulite par l'eau de mer chaude et les techniques de Rockroum, le docteur ajoute : « L'action propre de l'eau thermale serait insuffisante, à elle seule, dans la plupart des cas, pour obtenir la guérison de la cellulite. Les techniques de cure ont ici une importance primordiale. Les douches en jet, la douche-massage, les massages et la mobilisation sous l'eau, les bains de vapeur ou le thermo-lumineux ont pour effet d'assouplir la peau, de la libérer des plans profonds, de lever les stases, d'éliminer les déchets, de stimuler l'excitabilité des terminaisons nerveuses périphériques, origines de réflexes dont la richesse et la variété ne sont encore que soupçonnées.

« Je pense qu'une grande partie des succès traditionnels des cures thermales ont été et sont le résultat d'une action bienfaisante sur la cellulite, que l'on traitait jusqu'à ces dernières années sans la connaître, en normalisant les fonctions de la peau et du tissu cellulaire. »

Le pétrissage à main est quelquefois insuffisant pour plisser le derme et le libérer des plans profonds de tissu conjonctif infiltré. On masse alors au traxator, appareil électrique aux ventouses de diverses grosseurs, réglables, qui aspirent et décollent ainsi les masses trop volumineuses ou trop profondes pour la main.

Lorsque le massage produit des ecchymoses à la peau, la guérison vient plus vite après la disparition de ces ecchymoses. D'après cela, on injecte parfois du sang du malade sous l'épiderme de la région douloureuse, ce qui donne des résultats meilleurs qu'avec tout autre produit. Des injections d'eau de mer fraîchement captée satisfont aussi, pleinement.

Aux points des zones-sources détectées, douloureux, les massages se font sous un jet d'eau de mer plus ou moins chaud et plus ou moins violent, car la chaleur, toujours, anesthésie.

Outre les résultats locaux, les massages doivent laisser une impression générale de bien-être, une sorte d'harmonie physique. « Par contre, recommandent dans leur ouvrage les docteurs Grandmaison et Martin, si après un massage on éprouve une sensation de crispation, de surexcitation ou de lassitude, d'abattement et de maux de tête par exemple, il faudra aussitôt penser à une mobilisation trop brusque des déchets, à leur résorption défectueuse et à des phénomènes d'intoxication. »

Après le traitement des infiltrats cellulitiques, voyons celui des arthrites et des arthroses, les unes et les autres si justiciables du traitement marin.

On nomme arthrites les phénomènes d'inflammation des structures conjonctives. Elles comprennent :

1° le rhumatisme, aigu ou sub-aigu ;

2° La poliathrite chronique évolutive si fréquente, surtout chez les femmes aux abords de la ménopause, et qui conduit à l'ankylose et à la déformation des articulations ou des tissus malades. Douleurs, limitation progressive des mouvements, la rendent d'emblée inquiétante ;

3° la spondylarthrite ankylosante (frappant surtout les hommes jeunes), laquelle se manifeste par des douleurs vertébrales, intercostales, cervicales, sciatiques. Cette affection s'aggrave lentement, en raidissant de proche en proche tout le corps.

Les arthroses sont dues au vieillissement des os. Ce sont des lésions dégénératives des tissus qui forment l'appareil de glissement intercalé entre les os, lequel appareil est cartilagineux aux articulations et conjonctif ailleurs. Ces lésions ne régressent pas. Elles s'aggravent progressivement. Puisqu'elles sont un phénomène dû au vieillissement du squelette, il est naturel et fatal qu'elles augmentent avec l'âge. Elles ne créent pourtant douleur et impotence que lorsque, l'appareil de glissement inter-osseux étant détruit, l'os avoisinant est lésé lui-même.

La poliarthrite, aiguë ou chronique, semble spécialement relever de la cure marine. La mer chaude y produit de magnifiques résultats. *Guérison* serait beaucoup dire (cela dépend de l'ancienneté du mal et du degré de son évolution, de l'âge et de l'état général du malade), mais l'amélioration est certaine et quelquefois spectaculaire, au double point de vue de la douleur et de l'impotence. Comme son nom l'indique, cette forme d'arthrite s'attaque à la fois à plusieurs articulations. Elle est aiguë, mobile, fugace, récidivante ; tuméfie de préférence les genoux, les poignets, les épaules, les coudes, mais paralyse aussi les petites articulations et cause des douleurs violentes accompagnées de fièvre.

Dans la coxarthrose (ou arthrose de la hanche), la douleur de l'articulation lésée gêne la marche. Elle ressemble à la sciatique. Toute flexion est impossible ; la boiterie, la raideur s'accentuent, le malade prend des attitudes anormales qui font souffrir les autres membres. La coxarthrose double est, naturellement, plus redoutable et douloureuse. Là aussi, il faut tendre à récupérer en partie la mobilité et la force du membre malade, assouplir sous l'eau chaude l'articulation raide et douloureuse, retarder autant que possible l'évolution du mal. On ne peut guérir qu'en prenant la maladie tout au début, compte tenu de l'âge du malade et de l'état de ses lésions.

Une foule d'autres manifestations, banales mais crucifiantes, de l'arthritisme, sont justiciables de la cure marine chaude. Ce sont : l'arthrose intervertébrale, si répandue ; l'arthrose lombaire, qui l'est plus encore aux abords de la cinquantaine. C'est elle qui donne cette sensation de fatigue agressive qu'on affuble du nom plus familier, moins inquiétant de lumbago. La cervicarthrose, si banale elle aussi chez les quinquagénaires, qui paralyse le cou sous le nom de torticolis, donne des névralgies cervico-bracchiales, aiguës ou chroniques, avec irradiations scapulaires. L'arthrose interphalangienne distale, dont souffrent tant de femmes aux abords de la ménopause, affection qui noue les mains et les déforme de nodosités, surtout aux phalangettes, s'accompagne d'une sensation très pénible de brûlure, avec élancements, fourmillements et crampes. Elle affecte rarement les pouces. Mais, patience ! Il existe pour ces derniers une arthrose dite trapézo-métacarpienne, elle aussi l'apanage des femmes vers la ménopause, qui procure des craquements et des élancements très douloureux dans les poignets. Une autre arthrose semble aussi plus particulière à la femme : la périarthrite de l'épaule, lésion dégénérative portant sur les formations tendineuses qui constituent le plan profond de la seconde articulation de l'épaule. Elle se manifeste par des douleurs et une impotence plus ou moins grande de la partie malade, pouvant aller jusqu'à l'ankylose totale. Elle est due au vieillissement prématuré, plus ou moins grave, du tendon de l'épaule.

J'ai vu soigner, guérir ou améliorer toutes ces manifestations arthritiques, combattues parallèlement avec la cellulite dans la majorité des cas, ce qui était le double aspect du mien. Et c'est absolument logique car, disent les docteurs Grandmaison et Martin : « Quel que soit le terrain sur lequel évoluera la cellulite, il faudra toujours désintoxiquer. »

Le récent Congrès de Rhumatologie a reconnu et publié que le rhumatisme est, lui aussi, une maladie du tissu conjonctif. Il s'agit donc, toujours, de désintoxiquer ce tissu. L'eau de mer y excelle, surtout chauffée, car sa chaleur apaise la souffrance. Ainsi l'on peut rééduquer le membre malade en le mobilisant plus aisément dans le liquide porteur. Cela supprime le freinage opposé par le patient quand il souffre, l'allège, et, stimulant la vie, rend à ses muscles tonicité, volume et force.

La disparition de la douleur permet le retour du sommeil dont il est superflu de dire les bienfaits. L'excitation de la circulation générale et locale réduit les gonflements et les exsudats périarticulaires, d'où diminution nouvelle et progressive de la douleur, et relèvement de l'état général.

Mais il faut mouvoir le membre malade avec persévérance. Il restera d'abord passif et s'activera peu à peu, décontracté par la chaleur. C'est ainsi, seulement ainsi, qu'il parviendra à souffrir moins. Car le repos, trompeur et dangereux, n'amène que l'ankylose articulaire par suite de dépôts accrus et la déformation des membres. Le muscle s'atrophie dans l'immobilité ; seul le mouvement juste, bien réglé, faisant jouer le muscle qu'il faut, peut rééduquer le membre malade. Le tout est de ne pas appuyer à tort sur l'articulation douloureuse. On constate souvent que la contracture causée par l'appréhension de la douleur exagère la raideur articulaire. En effet celle-ci s'atténue et cède à l'eau chaude. Dès que le mieux survient sous l'effet des affusions, bains, douches, applications diverses, jets, tous plus ou moins forts, chauds et prolongés selon les cas particuliers, intervient le massage, soit à la main, soit au traxator électrique. La douche-massage, moins douloureuse que le massage à sec, agit sur la circulation, sur le système nerveux, facilite le passage de la lymphe dans ses canaux, régularise aussi l'assimilation et la désintoxication. Une gymnastique étudiée et méthodique, progressive elle aussi, poursuivie sans faiblesse, aide puissamment à la cure. Quel que soit l'intérêt du malade à guérir, quelle que soit sa volonté, il a tendance (je le sais !) à tricher avec cette gymnastique, qui pourtant, bien que douloureuse, est le complément obligé et efficace de la cure.

Le rhumatisme chronique, favorisé par le climat brumeux des vallées basses, par le manque de soleil, l'humidité ou les variations rapides de température, affecte plus souvent les citadins que les campagnards, les enfants principalement. La surpopulation, l'exiguïté et l'encombrement des demeures, la nourriture plus ou moins toxique ou carencée influent aussi sur cette affection si pénible. Le rhumatisme musculaire est, lui, généralement dû au froid, à l'humidité, au surmenage physique. L'un et l'autre se trouvent améliorés par le climat côtier, riche en iode, égal quant à la température et au degré hygrométrique, et fortement ionisé. Ils se trouvent également et en même temps améliorés par les bains chauds, massages, sudations au thermo-lumineux, douches, mobilisation sous l'eau, exercice méthodique.

Le climat côtier et l'eau de mer chauffée, les techniques précises, améliorent aussi ou guérissent des troubles spécifiquement féminins. J'ai vu des ménopauses se régulariser, une jeunesse nouvelle reparaître après quelques simples séances de natation dans la piscine tiède, et disparaître les malaises accompagnant la liquidation défectueuse d'un difficile retour d'âge. Dans un article très documenté : « Effets du climat marin sur l'organisme féminin », le docteur H. Vignes corrobore sur ce point mon expérience : « Les irrigations locales d'eau chaude à l'eau de mer sont un moyen précieux en gynécologie. » D'ailleurs à Marseille on soigne avec succès un grand nombre de femmes comme nous le verrons plus loin.

Le même docteur Vignes préconise en plusieurs cas, pour les affaiblis et les catarrheux par exemple, les cures d'hiver au bord de la mer. Ceci pour corriger la ventilation pulmonaire réduite par le froid, rendre à la thyroïde et au sang appauvris leur taux d'iode, aux muqueuses desséchées par le chauffage leur humidité nécessaire.

Voilà qui s'adresse particulièrement aux enfants, comme en témoignent les sanatoria de Bretagne et de toutes les côtes. Dans le même article, le docteur Vignes précise justement, à propos des enfants : « Développant l'irrigation et les fonctions cutanées, produisant la résorption des processus inflammatoires et exsudatifs, les bains de mer chauds sont particulièrement utiles, non seulement aux enfants atteints de rachitisme et d'hypotrophie, ou porteurs de tuberculose ganglionnaire ou articulaire, de péritonite ou de rhumatisme tuberculeux, mais aussi à tous ceux qui sont victimes de troubles du métabolisme calcique, en particulier ceux dont les tissus doivent être modifiés dans leur constitution physico-chimique. »

Dans la *Gazette Médicale de France*[4] le Professeur Rohmer, de Strasbourg, insiste sur les bienfaits de la mer et de son climat, surtout chez les enfants souffrant de fatigue physique ou nerveuse, d'alimentation défectueuse ou inappropriée, de surmenage, — le surmenage scolaire en particulier, qui freine le développement de l'être jeune. Lui aussi prône le changement de milieu, le grand air, le soleil, les vents du large, la vie libre : « Le climat marin, dit-il, est en principe excitant. Il stimule les fonctions vitales, physiques et nerveuses. Il convient donc avant tout aux enfants dont la nutrition est languissante, les échanges ralentis : lymphatiques, scrofuleux, rachitiques, tuberculose ganglionnaire ou osseuse torpide, convalescents de maladies aiguës. » Lui aussi note les bienfaits de la brise marine et des bains de mer qui stimulent toutes les fonctions. Il insiste sur le fait que l'air marin est bactériologiquement pur, riche en oxygène et en ozone, et qu'il renferme des gouttelettes d'eau de mer avec du chlorure de sodium, de l'iode, du brome, etc., qu'il est, en outre, dépourvu d'anergènes. Les catarrhes chroniques des voies respiratoires et surtout les maladies allergiques y sont, assure-t-il, soignées avec profit.

C'est bien le cas de sourire, peut-être, mais d'approuver l'emphase de Russel : « Venez ici, travailleurs fatigués, jeunes femmes épuisées, enfants punis des vices de vos pères. Et dites-moi tout franchement, en présence de la mer, ce qu'il faudrait pour vous relever. Ce principe réparateur, quel qu'il soit, il se trouve en elle. »

4. Novembre 1936.

D'une part, la mer donne au climat côtier un réel pouvoir sédatif par sa constance thermique et hygrométrique remarquable. Des névropathes excités s'y calment. Des insomniaques y retrouvent le sommeil. D'autre part, des déprimés s'y excitent. Car une régulation nerveuse s'y fait, favorisée par l'amélioration de l'état général. En effet, si le pouvoir sédatif de la mer ne fait pas de doute, son pouvoir stimulant est encore beaucoup plus important pour la remise en équilibre du corps humain. Les vents du large excitent les nerfs cutanés et vaso-moteurs. « Outre leur action directe, écrit M. Galland [5], de Berck, ils sont vecteurs d'embruns marins. Si la mer est très peu radioactive, elle est *fortement ionisée négativement*, alors que l'atmosphère l'est *positivement*. Le phénomène d'ionisation atmosphérique se traduit par la conductibilité de l'air et est provoqué par la dissociation atomique avec libération d'électrons.

« On doit admettre la présence d'ions marins et aériens de toute nature (chlorure de sodium, brome, silicium, etc.). Par ailleurs, le champ électrique positif, à fort potentiel, doit jouer un rôle considérable. »

L'excitation du système nerveux, spécialement du végétatif, influe vivement sur toutes les fonctions, par l'intermédiaire de tous les organes.

La peau, aérée, massée par le vent, bombardée par le sable riche en sels et ionisé, soumise aux ultra-violets dont l'atmosphère est si chargée, fixe la cholestérine du sang et, vivifiée, s'assouplit. La mer et le soleil combinés la

5. *Actions physiologiques du climat marin.*

pigmentent. A condition de ne pas tomber dans l'excès, ce qui entraînerait des brûlures et ferait tourner le bien en mal, la peau brunie se porte mieux.

L'appareil respiratoire est le plus favorisé, avec ses cent-vingt mètres carrés de surface offerts à cet air extérieur. Autant sont dangereux pour lui les gaz délétères, les atmosphères citadines viciées, poussiéreuses, toxiques, autant l'air pur et régulièrement humide de la côte lui est bénéfique. Le docteur Galland précise : « L'évaporation est diminuée. La respiration devient plus profonde, plus lente. L'amplification respiratoire et la capacité vitale sont augmentées. »

L'appareil digestif bénéficie des bienfaits généraux de l'air marin. Non seulement la circulation et la respiration sont excitées, mais encore les fonctions digestives. L'acidité stomacale augmente ainsi que la contractibilité intestinale, d'où amélioration importante dans les cas de constipation rebelle.

En ce qui concerne les glandes endocrines et les fonctions de nutrition, il est constaté expérimentalement que la teneur en iode de l'atmosphère et des embruns stimule la thyroïde. On peut constater la richesse en iode des végétaux, du lait, des œufs au bord de la mer, et celle de la thyroïde du bétail.

Cette régulation de la thyroïde se traduit par l'accroissement de la taille chez les enfants. Van Merris constatait qu'en deux mois au bord de la mer, les enfants grandissaient comme en huit mois à l'intérieur des terres. Le poids augmente aussi : du moins celui des muscles, cependant que la graisse diminue. L'appétit est excité et les enfants retrouvent ce sommeil admirable que l'on nomme, non sans envie, sommeil de bébé.

Cette excitation générale des fonctions vitales se traduit même par une pousse plus rapide et meilleure des dents, chez les enfants, des cheveux et des ongles chez tous. Tous les curistes en faisaient la remarque et constataient souvent que les cheveux repoussaient pigmentés et non plus gris, chez ceux qui blanchissaient.

Tout séjour au bord de la mer se traduit par l'augmentation de l'hémoglobine et des globules rouges du sang, des échanges azotés, de l'oxygénation, de la fixation calcique et phosphorée sous l'influence particulière des ultra-violets. C'est ce qu'a exprimé le docteur Jarricot : « L'eau de mer exerce bien, sans doute, une action en introduisant dans l'organisme des sels nombreux (...) mais son caractère spécifique serait d'apporter une sorte de stimulus à peu près indépendant de la dose introduite. »

Les contre-indications sont : les tuberculoses pulmonaires évolutives (car l'air et l'eau de mer, en excitant la respiration et la circulation, favorisent les hémoptysies) ; les états congestifs chroniques ; les entérites chroniques ; les blépharo-conjonctivites ; les kératites ; certains états nerveux ; les maladies de cœur mal compensées ; les affections aiguës des voies urinaires ; la maigreur essentielle des jeunes ; la coqueluche ; les troubles des hyperthyroïdiens.

Bien entendu la mer n'offre pas une panacée. Des maladies demeurent incurables : celle de Paget (que, pourtant j'ai vu s'améliorer en cure), l'hémiplégie flasque, quelques autres sans doute que je n'ai pas eu l'occasion de rencontrer. Mais les médecins m'ont assuré que l'hémiplégie en contracture a été très souvent améliorée par la cure marine.

En résumé, dans tous les cas de tuberculoses autres que pulmonaire, dans certaines formes d'adénopathie trachéo-bronchique, dans tous les déséquilibres endocriniens, hypo-thyroïdiens, hypoglandulaires, chez les ralentis de la nutri-tion, dans les cas d'asthme, de rhume des foins, de catharre aigu, et surtout pour lutter contre le rachitisme, l'anémie sous toutes ses formes, il est certain que la cure marine, hyperstimulante et régulatrice, est tout particulièrement indiquée.

J'ai donné à la suite tous les avis autorisés qui se répètent, ne craignant pas de me répéter moi-même. La conclusion pourrait être cette exclamation romantique : « Ayez pitié de vous-mêmes, pauvres hommes d'Occident ! Aidez-vous sérieusement... La terre vous supplie de vivre. Elle vous offre ce qu'elle a de meilleur, la mer, pour vous relever ! »

VII

LE CHEMIN DE LA GUÉRISON

Après deux bains algués, deux massages au traxator électrique, une sudation sévère au thermo-lumineux, j'éprouvai un allégement, un mieux général mais confus. Quand on souffre il suffit de peu pour ressentir un grand bien-être.

— Montrez vos mains !

Ah ! c'était là qu'un mieux particulier se faisait en effet sentir. Voici que je fermais les mains, sans gêne aucune, ce que je n'avais plus fait depuis des mois. Serrer le stylo avec ces doigts gourds m'était devenu si pénible que je me servais seulement de la machine. D'autre part, je n'éprouvais plus de crampes, — ces crampes redoutables qui m'éveillaient la nuit, juste quand l'insomnie commençait à céder.

J'appris que c'est souvent par les mains que débute l'enflure toxique, mais que, souvent aussi, c'est d'abord par là qu'elle disparaît.

J'avais perdu aussi cette sensation étouffante d'aérophagie qui m'incitait auparavant à manger toujours moins, des mets sans sel, et m'interdisait de boire aux repas. Maintenant, crustacés, coquillages et poisson quotidiens étaient les bienvenus à midi et même le soir, sans provoquer la moindre gêne.

— Et l'insomnie ?

Je dormais plutôt trop, avec le sentiment tenace de rattraper des années de sommeil. Fait plus nouveau encore : sans cauchemar.

Surtout, il me semblait (mais mon désir ne me trompait-il pas ?) qu'un soupçon de souplesse venait à mes vertèbres, moins douloureuses, à celles du dos, mais aussi à celles du cou, qui avaient particulièrement souffert des élongations. L'arthrose, pourtant, ne pouvait guérir : on ne peut pas rajeunir un squelette.

Lorsque je fis cette objection, je m'entendis répondre que je devais au moins soulager ce squelette, vieilli ou non, en lui ôtant sans plus attendre ce carcan de fer nommé lombostat.

J'avoue que je fus effrayée. N'allais-je pas souffrir davantage sans ce soutien ? Toutes les fois où j'avais essayé, auparavant, je l'avais payé cher... Ce carcan me tranquillisait dans la mesure où il me gênait justement. Car il empêchait tout faux mouvement en limitant si durement les nécessaires.

On me tranquillisa. Les premiers résultats montraient une excellente réaction de l'organisme. Le rhumatisme généralisé allait mieux ; les dépôts arthritiques et cellulitiques se résorbaient par tous les émonctoires. On m'ordonna tels et tels mouvements de gymnastique que je jurai de faire chaque matin, pour douloureux qu'ils fussent. Je promis de m'alimenter sérieusement, surtout en fruits de mer, car la fausse aérophagie d'une part, la douleur de l'autre, m'ayant depuis longtemps enlevé l'appétit, cela se soldait maintenant par une profonde anémie.

C'était le moment de prouver et de me prouver à moi-même la primauté du mental sur le corps et le pouvoir d'une mystique de la vie, de la santé, donc de la guérison.

Je jetai le corset de fer. On verrait bien !

Oh ! je vis sans tarder !

Chaque jour fut meilleur. L'eau perdue à chaque séance faisait à mes pieds une mare sur le plancher du thermo-lumineux. Quel allégement incroyable ! La douleur semblait fondre et s'écouler avec tous ces poisons. Dans le bain algué tiède, bientôt, mon cœur, lent de nature, battait plus vite. Une chaleur que je dirai physiologique (car elle n'était pas celle de l'eau) circulait, vive, toujours plus vive, à chaque pulsation. C'était aussi un genre de chaleur nouvelle. Car un picotement à la peau indiquait que, certainement, il se passait là *quelque chose*... ce quelque chose d'où résultait l'allégement de la fatigue, la disparition progressive de mes innombrables douleurs.

Pendant les premiers bains, après les longs massages au traxator ou à la main, un remous organique diffus, une sorte de nausée vague indiquèrent qu'un grand apport de toxines s'éliminait, par des tissus rénovés, dans le sang. Moi qui, en temps normal, même dans mon Midi, même dans des bains chauds, ne parvenais guère à transpirer, je ruisselais ici, fût-ce après un bain ne dépassant pas 37 ou 38 degrés. Sortant du thermo-lumineux où la température sèche et élevée de la *boîte* justifiait tous les ruissellements, je ruisselais vraiment, pendant une heure encore et même davantage, sur le lit de repos, sous les couvertures de laine, jusqu'à ce qu'arrivât mon tour d'être douchée au jet, chaud d'abord puis à peine tiède, nouveau massage vivifiant qui lavait tout. Je me sentais rénovée en sortant. Tout le système éliminatoire se réhabituait à fonctionner et s'y tenait.

La première semaine avait marqué des progrès, immédiats et continus. Les deux suivantes firent mieux encore. Comme je venais de loin et ne pouvais revenir faire une nouvelle cure en septembre (ce qui eût mieux valu), comme j'étais au départ « la plus infiltrée des malades », pas libérée entièrement au bout des dix-huit séances réglementaires, et que le cœur, plus actif que jamais, n'éprouvait aucune fatigue, je prolongeai mon séjour jusqu'à vingt-huit séances effectives : ce qui, avec les dimanches, porta à un bon mois et demi mon séjour au bord de la Manche, ajoutant les bienfaits généreux du climat marin à ceux, particuliers, du traitement.

Chaque jour a marqué un mieux nouveau, m'a rendue plus mobile, plus légère, dans un corps désintoxiqué qu'abandonnait peu à peu la douleur. D'opiniâtres lourdeurs du crâne, lancinantes, causées elles aussi par la mauvaise irrigation à travers des tissus gonflés, durcis et sclérosés, que l'acupuncture matait mais qui récidivaient parfois, achevèrent de disparaître et ne sont jamais revenues. Je perdais régulièrement, chaque semaine, un poids d'eau très sensible, — plus important que ne l'accusait la bascule, car je récupérais en même temps (et je le sentais bien) un poids de muscles aussi certain.

Au bout de ces six semaines de séjour, je doutais d'avoir jamais été rhumatisante, ni allongée pendant des mois sous un plafond qui tanguait de vertige. La vie recommençait, plus euphorique qu'à vingt ans. Je savais maintenant le sens des mots guérison et santé. « Tout a dû fondre ! » me disais-je. La raison protestait, mais je la faisais taire quand elle insinuait : « C'est trop espérer en si peu de temps, pour un organisme qui s'acheminait vers l'impotence ». Mon optimisme composait : « Il va s'agir de reprendre, en Provence, au climat sec et chaud, le régime sobre d'avant, d'y ajouter les exercices de gymnastique gradués, les bains algués dans la baignoire, la marche quotidienne. » Mais il est un double précepte que je savais d'avance impossible à bien suivre du fait de mon métier : en même temps que la sédentarité, éviter tout surmenage intellectuel. J'ajoute qu'il faut vivre, donc biaiser avec notre corps et avec les circonstances, toujours difficiles. Dans une assez large mesure, et sur le plan matériel aussi bien que sur le plan spirituel, nous ruinons notre vie, nous acceptons de la perdre pour la gagner.

Cependant, un sujet averti veille mieux quand il s'est une fois guéri que celui qui a toujours été bien portant. Et puis, je savais où était la source d'une remise à neuf, et qu'il me suffirait d'y revenir, comme y reviennent ces curistes, mes compagnons, devenus parfois des amis, — exempts, eux aussi, d'inquiétude.

Côte à côte, nous avons tant de fois attendu l'heure de notre traitement, buvant la mer des fenêtres de la rotonde, que nous connaissions tous l'histoire de chacun. Grande famille, sympathique et mouvante, où s'échangeaient les confidences...

J'aurais aimé décrire plusieurs cas, et les intéressés l'auraient aimé aussi, pour le profit des lecteurs ignorés. Ni eux, si contents de gonfler de détails mon carnet de notes, ni moi le reporter, ne voulions étonner les malades épars en criant au miracle. Mais nous pensions ensemble qu'un plus large échantillonnage de guérisons ou d'améliorations serait d'autant plus efficace. Car, fût-ce dans une série d'affections analogues, des variations d'apparences, de modalités, de manifestations peuvent troubler et égarer : les noter en les expliquant peut éclairer des patients étrangers à la médecine. Le tempérament des gens traités, leur âge, leur genre de vie, leur état général, l'ancienneté de l'affection, leur caractère aussi et leur comportement en face de la maladie et du traitement, font de chacun un cas si particulier ! En offrir davantage semblait plus efficace.

Mais c'était aussi alourdir le livre et, pour le rendre peut-être plus utile, le rendre à coup sûr plus fastidieux.

Il y a plus. Cet étalage de misères qui, dans l'atmosphère de cure, nous paraissait aller de soi, pouvait sembler une indiscrétion dans les feuilles froides d'un livre, alors que la famille douloureuse de cet été s'était de nouveau dispersée, oubliant, reprise par la vie.

Je choisis donc d'en faire un résumé, forte, bien entendu, de l'acquiescement des intéressés.

Mes carnets sont pleins de poliarthrites plus ou moins anciennes, que la mer a stoppées, où le malade a cessé de souffrir, retrouvé chaque jour plus de mobilité, quitté sa poussette ou lâché ses cannes, jeté son lombostat ou ses chaussures orthopédiques, repris du poids, repris surtout goût à la vie.

Trois crampes d'écrivain ont, sous mes yeux, cédé au traitement. La guérison demande plusieurs cures, deux ou trois pour le moins, chacune rattrapant ce qui a pu se perdre en cours d'année et y ajoutant un mieux nouveau.

Une hémiplégie du côté gauche s'est guérie en un temps record puisque, au cinquième jour, s'apercevant qu'il marchait de nouveau, l'infirme fit douze bons kilomètres, et qu'au bout de ses trois semaines, ainsi qu'il m'en a informée, il avait repris une vie normale, courant pour son travail les routes du Nord en moto.

La majorité des cas, c'est le mien : l'arthrose du dos, la plus répandue, se présentant sous des formes multiples. L'arthritisme avait pris diversement prétexte d'une chute, du froid, des pluies, d'une grippe, ou de son seul caprice. La cellulite avait joué son rôle néfaste et caché, faisant croire à des nerfs coincés par des vertèbres plus ou moins déplacées et par des becs de perroquet. Lombostat ! Lombostat ! Mais tous, après des éliminations massives, l'ont quitté sans inconvénient.

Chez les femmes, la ménopause aggrave forcément les choses. La mer a réduit tous ces accidents, liquidé la situation, rétabli l'ordre et l'état général.

Dans la majorité des cas, la cellulite était la grande responsable, en ce sens qu'elle compliquait les troubles spécifiques des autres affections. Débarrassée d'elle, l'arthrose, quoique non guérissable, redevenait un mal apprivoisé.

En même temps que fondait la souffrance, revenait la saine gaieté qui aidait tant, à sa façon ! Nous plaisantions sur la cure de joie, heureux de connaître, par expérience, ses effets psychosomatiques lus dans quelque revue savante.

Ainsi, ces impotents d'hier, les voici, à leurs heures libres, ivres d'explorer la Bretagne. Par groupes, par couples ou seuls, en voiture, en car ou à pied, quelle frénésie nous venait à tous de voir, de mieux connaître, d'admirer ! C'étaient les églises et les magnifiques calvaires, puissants, le jour, dans leur granit, surnaturels, la nuit, sous l'éclairage étudié des projecteurs avec, sur fond de brouillard, le fantôme démesuré et multiplié des clochers. C'étaient les ports, si vivants, si nouveaux, pour moi au moins, Méditerranéenne ; c'était Concarneau, cité close ici, et de là, joyeux frétillement d'embarcations et filets bleus en frises. C'étaient, çà et là, des villages frappés de quelque enchantement : Locronan de la Renaissance où nous rencontrions dans les rues plus de saints de bois que de gens, mais aussi ces hameaux touchants faits de maisons basses au toit sourcilleux, — bref, la Bretagne des légendes, des romans, des poèmes, des chansons, des tableaux, la Bretagne embaumée au fond de nos mémoires. Ressuscités Saint-Malo, le vieux Paimpol, sa Paimpolaise ; le Mur des Trépassés et la dalle de *Mon frère Yves* ; les côtes hostiles riches en naufrages et Victor Hugo ; les criques murmurantes et Reynaldo Hahn ; ces forêts de chênes druidiques avec dolmens, menhirs et pierres enchantées, lambeaux de Brocéliande où chacun retrouvait le roi Arthur, Merlin, Morgane tels que dans ses rêves d'enfant. Pour moi, la Montagne d'Arrée, désert hanté de korrigans, avec la pleine lune qui jouait sur son lac, m'a rendu l'Esprit des Eaux Mortes, familier en Basse Camargue. Un autre jour, sous un ciel tourmenté fait pour les tragédies et les dépassements, cette solitaire montagne m'a paru celle de Galice et sa route sans fin, celle à l'Etoile qui mène à Compostelle.

Mais il faut un corps et un esprit libres, débarrassés de l'angoisse du mal, pour s'ouvrir à toute grandeur, toute beauté, toute idée objective. Là, dans ces promenades, j'ai pu voir chaque jour les remis-à-neuf, les remis-en-route, toujours plus légers, plus enthousiastes, plus émus, plus sensibles et plus compréhensifs. Ils pouvaient enfin s'oublier, s'oublier mieux et toujours davantage.

Bien sûr, rentrant chez eux, ils retrouveraient le travail, la vie illogique, le surmenage, la sédentarité, l'air confiné, l'alimentation anarchique de notre civilisation, le bruit incessant, — toutes choses qui corrodent surtout les citadins, les intellectuels. Tous l'admettaient, jurant de faire cependant de leur mieux et de ne plus se négliger. Mais nul ne s'inquiétait d'avance. Le remède était là. L'été prochain réparerait les dégâts, dans un nouveau *Pèlerinage aux sources*.

Un cas parmi tous m'a donné ce choc qui fait *tourner* un livre, lui imposant soudain un sens nouveau. J'ai touché à un fait humain qui dépasse la guérison et laisse loin le banal reportage. Sur lui je veux fermer cet inventaire douloureux parce qu'il y a mis sa pure lumière.

On ne saurait parler ici d'indiscrétion. L'intéressée, qui m'a ravagée tout ensemble de peine, de pitié, de joie et d'un désir plus vif d'aider les autres, plus que consentante, pousse à ce récit.

C'est une commerçante de cinquante ans, habitant non loin de Roscoff.

Vers sa douzième année, Mlle B... fut atteinte d'un rhumatisme déformant de la main. Sous la pression du mal, cette main d'enfant se fermait. La mère luttait en massant ces pauvres articulations, chaque jour un peu plus nouées. A quelque temps de là, le pied gauche se prit. Les médecins prescrivaient les remèdes habituels sans résultat. Quand les deux pieds et les mains furent ankylosés, on emmena la malade à Paris où on lui ordonna, outre les médicaments spécifiques de l'arthritisme, ceux destinés à aider une formation difficile.

Pour « tirer l'eau empoisonnée » des membres malades, il fallait poser dessus des mouches de Milan et en remettre sur les plaies ; purger l'enfant chaque quinzaine avec de l'eau-de-vie allemande ; lui donner des cachets suivant telle et telle ordonnance... et ne pas se décourager.

Un an d'affilée, la fillette subit ce traitement. A la fin de l'année, elle ne pouvait plus du tout, du tout marcher.

1920-1921 : elle allait, dans les bras des siens, de son lit à sa chaise-longue où, inerte, on la déposait.

1923 : On lui ordonna des béquilles pour essayer une rééducation.

L'effort de volonté, l'endurance au mal de cette petite chétive, mais aussi son désespoir intérieur de se voir infirme, et incurable, faisaient mal à son entourage.

— Perdue pour perdue, portez-moi à Lourdes ! pria-t-elle un jour. Mais son genou devenu énorme était extrêmement douloureux. Le docteur interdit rigoureusement le pèlerinage, prescrivit au contraire douze à quinze jours d'immobilité absolue. Car le rhumatisme avait causé une phlébite qui inquiétait très fort le praticien.

L'état de la malade empira tellement que la mère lui prépara ses habits mortuaires.

1924. La jeune fille étant dans un état désespéré et ne voulant toujours pas mourir sans être allée à Lourdes, sa mère l'y emmène, malgré le médecin, dans le Train Blanc des grands malades. C'est une agonisante que l'on descend du train, à Lourdes, et qu'avec mille précautions on porte en brancard à la grotte. Sa mère tente de lui faire boire un peu d'eau miraculeuse. La malade ne peut même pas la supporter. « Je suis venue ici pour y enterrer mon enfant ! » pleure et gémit la mère. De plus en plus moribonde, on la ramène en Bretagne au terme de la neuvaine, avec le seul gain d'un peu plus de souffrance et d'un pas de plus vers le fatal dénouement.

Or ce que, dans sa foi, Mlle B... considère comme miraculeux, c'est d'avoir trouvé chez elle, au retour, une brochure sur Rockroum envoyée par des connaissances qui venaient d'y être soignées avec succès.

Comment, si proche de Roscoff, Mlle B..., sa famille, son village, avaient-ils ignoré la réouverture de l'Etablissement après l'Armistice de 1918 ? Comment ses médecins ne connaissaient-ils pas les nouveaux résultats de cure ? C'est un des paradoxes coutumiers de la vie. En se souvenant de ces ignorances, Mlle B... voudrait que son cas vienne en aide à beaucoup de malades, qu'il leur rende le service éminent que lui rendit jadis cette brochure.

Elle la lut, elle la dévora. Dès l'été de la même année 1924, elle se fit transporter à Roscoff. L'hôtel le plus voisin de l'Institut lui fit à grand-peine une place : tout était pris. Une seule chambrette au second étage fut donnée à l'infirme, par pure bonté d'âme. Il fallut que deux fois par jour la malheureuse descendît et remontât l'escalier redoutable, puis fît, aller et retour, le trajet hôtel-Institut, sur ses béquilles harassantes qu'il lui avait bien fallu reprendre dans un terrible sursaut de volonté.

— Je ne voulais pas bouder le miracle, remarque Mlle B... en me racontant son histoire, mais ma santé était si désastreuse que je craignais, que tous craignaient l'effondrement final.

Quelle ténacité dans ce corps malade ! Quelle force pour lutter ainsi, pied à pied, avec un mal martyrisant ! Quelle qualité intérieure pour le faire sans amertume ! Mlle B... me sourit alors que sa peine m'étreint, et dit sur le ton d'une action de grâce :

— Guérir, je le sais, était impossible. On ne me l'avait pas caché. Mais en voulant avec entêtement, en soignant le moral autant que le physique, en sachant endurer le mal (car ce mal était pris trop tard !), en ne se décourageant pas, on obtiendrait... ce qu'on pourrait ! J'avais entière confiance. Rien ne me rebutait. Le docteur avait les larmes aux yeux de me faire souffrir avec ses douches d'eau ou de vapeur chaudes sur mes membres raides et tuméfiés. Il ne confiait à personne le soin difficile de me masser en me torturant, et il partageait de cœur ce supplice. Avec patience, avec constance, il fallait remuer mon squelette bloqué dans ce bain calmant et fortifiant. Je fus parmi les premiers malades pour qui l'on remplaça les jets de vapeur chaude par le thermo-lumineux. Les sudations intenses qui en résultaient me soulagèrent et me rendirent enfin un peu de mouvement. Quelle victoire ! Il fallait, maintenant, essayer de la gymnastique : échelle, barre, trapèze même. Je savais que j'aurais mal, — mais pour un mieux. A ce mieux qu'on me promettait, j'aidais, moi, de toutes mes forces. Je le devais à ceux acharnés à tant me soigner, à ma famille inquiète, plus qu'à moi. Dans les derniers jours de la cure, le médecin me dit tout à coup : « Lâchez à présent vos béquilles et ne vous aidez plus que d'une seule canne. » Je le regardai, effrayée, « Mais quand ? — Tout de suite ! Aujourd'hui ! Allez jusqu'au bazar. Choisissez, achetez votre canne, partez avec et, avec, revenez demain. » J'avais juré de ne rien discuter. C'est cela, avoir confiance. Terrifiée, j'allai donc acheter la canne. Domptant ma peur, avec ce seul appui je descendis le lendemain mes deux étages et arrivai, de bric et de broc, à l'Institut. J'avais si mal, je me sentais si chancelante, je m'appuyais si fort dessus qu'en quelques jours un cal durcit au milieu de ma main. Un curiste qui repartait chez lui, guéri, m'offrit sa voiturette pour que l'on pût me promener au grand air plus longtemps. Je la refusai, redoutant que la facilité de ces promenades m'empêchât de persévérer dans ma pénible marche à pied. Voyez comme j'avais raison : la cure finie, je partis, donnant mes béquilles à une incurable qui, n'ayant pu endurer la souffrance de l'exercice indispensable, avait cessé le traitement et était devenue tout à fait impotente. Chez moi, marchant un peu plus chaque jour, j'en arrivai, au bout de six à sept semaines, à lâcher la canne elle-même.

L'année suivante, en mai, Mlle B... revint pour se soi-

gner un mois, rentra chez elle soulagée et refit en septembre une seconde cure de quinze jours. Le mieux avait
si bien continué qu'elle allait et venait sans sa canne. On
la surnommait la Miraculée. Ses mains et ses pieds restaient
déformés, puisque ces horreurs ne rétrogradent pas, mais
elle ne souffrait plus, poursuivrait allégrement tous les
exercices recommandés et marchait autant que possible.
L'état général, bien meilleur, aidait au traitement et soute-
nait ce beau courage.

Ainsi, chaque année, jusqu'en 1939 où la guerre ferma
Rockroum avant de le faire sauter, Mlle B... fit sa cure,
plus ou moins longue, simple ou double, selon ce qu'avait
été l'hiver. Elle était à ce point améliorée que pendant tout
l'entre-deux guerres elle ne garda presque pas le lit, sauf
aux plus méchants jours de froid, de pluie surtout, dont
la Bretagne est si prodigue.

Mais c'est pour quatorze ans que la guerre, cette fois,
allait rendre l'Institut inutilisable. L'état de Mlle B...
empira progressivement. On remplaça le traitement d'eau
de mer chaude par des piqûres. Mais tout essai resta ino-
pérant ; chacun de ces hivers fut plus mauvais pour la
malade.

A son malheur particulier s'ajoutèrent, pour elle, ceux
de sa famille et ceux de la guerre. Deuils, maladies de l'entourage, soucis de tous ordres, chagrins, charges ajoutées
ne soulagent guère ! La pauvre Mlle B..., nouée de douleurs
sans remède, passait au lit le plus clair de son temps, se
rongeant intérieurement d'être, en plus, à la charge de sa
vieille mère.

Ce n'est qu'en 1955, après seize ans d'interruption,

qu'elle put revenir à Rockroum. De nouveau la canne, et l'aller-retour, si pénible au genou raidi et tuméfié. Mais l'eau de mer chauffée et les techniques du traitement eurent le même effet heureux. Cet hiver de 1955-56, l'un des plus durs que toute la France ait subis, Mlle B... l'a passé sans un jour de lit.

En cet été 1956 où je fais sa connaissance, elle loge au troisième étage de son hôtel, heureuse d'être ainsi contrainte à l'exercice. Elle fait le trajet sans canne, ajoute au traitement la cure de grand air marin. C'est là, dans ses petites marches coupées de longs repos au bord de la grève, que je la rencontre, que nous bavardons, aspirant ensemble les embruns. Elle mange et dort mieux que chez elle. Sa passion d'aider à la cure, de guérir davantage encore, force le corps à obéir.

Elle attend midi, l'heure de rentrer déjeuner, sur l'un des bancs de l'esplanade, au bord de l'eau ou des champs d'algues laissés par le reflux. De ses mains déformées, elle coud, elle brode. Oui, elle brode !

Secrètement je m'apitoie sur ces mains tordues qui s'affairent avec une douce application. Peut-être Mlle B... sent-elle quelque chose de cette insolite pitié, car elle dit d'un air illuminé :

— Vous n'imaginez pas comme je suis heureuse ! Je sais, d'expérience, que la cure finie, je continuerai d'aller toujours mieux. Que mon hiver sera très bon.

Et étalant ses pauvres mains dont le spectacle me ravage, elle ajoute :

— Ne soyez pas impressionnée, ce n'est plus rien ! Plus rien quand on ne souffre plus ! Quand on a dû mourir tant de fois ! Qu'on vous a préparé le suaire à plusieurs reprises ! Le docteur dit : « Ce n'est pas un miracle ! » Non, sans doute, pas pour lui. Pour moi, c'est beaucoup plus, c'est un miracle chaque année renouvelé et qui, chaque fois, me rend un peu plus de vie et de joie. Que vivre, que revivre est beau ! Si vous saviez comme je suis comblée ! »

Guérir ! La magie de ce mot ! Sa relativité, aussi. Car ce qu'un malade qui a tant souffert, tant désespéré, appelle guérison, quelqu'un de sain et de normal, s'il en était tout à coup accablé, y verrait une catastrophe.

Le moindre mieux, le moindre signe qu'on est sur la voie de la guérison, c'est déjà cette guérison en puissance, et l'on tend vers elle avec une ardeur décuplée. Le premier pas est déjà fait, et il suscite, il implique déjà tous les autres. Car l'organisme qui émerge de l'épreuve *sait* pleinement ce qu'il avait perdu et qu'il est en train de reconquérir. L'homme bien portant n'en soupçonne rien.

Le docteur J. Sarano dit excellemment : « La guérison est plus que la santé, elle est une santé recouvrée, reconquise, elle fait atteindre parfois à cette ivresse de la sève qui monte et des forces qui renaissent, à cet enthousiasme, à cette ferveur, à ce désir de profiter de la vie qui s'ouvre à nouveau devant soi. (...) C'est une conversion, une résurrection du corps et de l'âme, le surgissement d'un être neuf. » Et plus loin : « L'homme guéri se trouve en quelque sorte enrichi, hissé à un niveau qu'il ne soupçonne pas avant l'épreuve. » Même, il s'écrie : « Heureuse maladie qui conduit à une santé nouvelle ! »

Une santé nouvelle dans un être nouveau, car toute expérience fait plus qu'enrichir : elle modifie l'individu. Dans sa thèse de doctorat [1], le Docteur Canguilhem l'exprime justement : « Aucune guérison n'est retour à l'innocence biologique. Guérir, c'est se donner de nouvelles normes de vie parfois supérieures aux anciennes. » Et le Docteur Sarano : « La guérison apparaît comme un phénomène qui intéresse la totalité de l'homme. Elle instaure un équilibre qui n'est pas plus celui de la santé que celui de la maladie, s'accommode de pertes et de gains. (...) Tout l'homme est contenu dans le thème de la guérison comme dans celui de l'amour ou de la mort. »

Dans ces infirmes qui repartent allégés, ayant parfois laissé béquilles et poussettes ; dans ceux qui les avaient déjà troqués contre des cannes et qui s'en vont contents, rêvant de revenir ; dans ces anciens malades qui ont ré-appris à espérer, à croire, à rire, je vois un peu d'humanité régénérée par la mer maternelle. Et cette joie de vivre renaissant au cœur de tant d'éprouvés, m'a paru cette perle dont parle Michelet : elle ne se forme dans le coquillage, dit-il, « que par une blessure, une permanente souffrance, une douleur (...) qui attire, absorbe tout l'être, anéantit sa vie vulgaire en cette divine poésie ».

---

1. *Essai sur quelques problèmes concernant le normal et le pathologique*, citée par le Dr Sarano dans *La Guérison*.

VIII

LA POST-CURE

Je le répète : tout le monde ne guérit pas. Comme partout, un certain pourcentage de soulagés retomberont malades. D'autres, réputés incurables, ont perdu leur dernière carte en tentant cette expérience nouvelle. En effet, des désespérés ne relevant en rien de la cure marine, y tentent leur chance disant : « Pourquoi pas moi ? On a bien vu s'améliorer une maladie de Paget ! On rééduque bien sous l'eau de mer l'atroce, la fatale poliomyélite ! » Oui, pourquoi pas lui ? Le destin dit : Non !...

Il est d'autres échecs. J'ai déjà parlé du malade qui, au fond de lui, ne veut pas guérir. Il y a aussi celui dont le mal est trop vieux maintenant, trop graves les lésions, trop mauvais l'état général. Ceux à qui Mlle B... voudrait éviter l'erreur du trop-tard qui lui a été si fatale.

Mais la question qui vient à l'esprit du lecteur à propos des guéris et des améliorés est celle-ci, que je me suis posée par souci d'objectivité autant que par intérêt personnel : « Qu'advient-il de ce mieux, de cette guérison, après quelques mois ou quelques années ? Se maintiennent-ils ? Et pour combien de temps, étant donné tel ou tel cas ? »

De mon côté, le temps de penser et d'écrire ce livre m'offre un recul de quelques mois. Il me mène à l'hiver — saison néfaste, propre à faire la preuve. Mais en attendant, dès Roscoff, j'ai longuement interrogé sur place des curistes qui revenaient pour la deuxième, la troisième, et même la dix-huitième ou la vingtième fois avec Mlle B... Les progrès ont augmenté à chaque cure, et chaque hiver suivant en a été meilleur.

Bien entendu il faut que le *guéri* (l'*amélioré*, à plus forte raison) continue de veiller sur lui. Il sait pourquoi il a été malade, comment, tempérament à part, son genre de vie, son travail l'ont handicapé. Par un régime approprié, une hygiène plus rationnelle, de l'exercice gradué, une persévérance à toute épreuve, il peut parer en grande partie à une rechute.

Reporter consciencieux, je peux et dois donner mon propre exemple. Rentrée chez moi à la fin de juillet, je n'ai manqué ni aux bains algués dans l'eau douce de la baignoire, à 38°, ni à la gymnastique quotidienne, ni à la marche. Je me suis astreinte à faire au soleil (ce qui est facile en Provence) entre cinq et dix kilomètres par jour. C'était réellement continuer la cure dans la mesure du possible. Car le travail repris, la sédentarité et le surmenage obligatoires n'ont que trop d'atouts pour combattre en douze mois les bienfaits de la mer. Il faut veiller assidûment. J'ai sacrifié deux heures par jour à ces exercices divers, me disant (lorsqu'ils me gênaient) que j'en avais sacrifié bien plus en souffrant, quand j'étais malade. Si la gymnastique restait douloureuse ou le devenait aux brusques changements de temps, je m'y contraignais, me souvenant des douleurs de jadis, qui étaient pires.

Le bain algué produit, dans la baignoire, un effet moindre mais analogue à celui du bain de mer chaud. Après seulement quelques minutes dans cette eau, le cœur bat plus fort, plus vite ; une chaleur intérieure circule ; le picotement à la peau, spécifique de l'eau de mer, se reproduit, quoique plus faible. Evidemment *quelque chose se passe* entre le milieu intérieur et l'eau alguée. La cellulite continue de s'éliminer, comme on pouvait s'y attendre, étant donné que, désintoxiqué, le corps doit être à même d'assurer toutes ses fonctions. La bascule, confirmant ce que j'éprouve, accuse bien la perte régulière de l'eau de fixation qui, naguère encore, rendait mes mains gourdes, et me faisait croire à de l'aérophagie. Après le bain, un long repos avec une intense sudation, puis la douche qui lave tout : quel incroyable allégement ! Quel tonus nouveau pour reprendre le travail, si long et si dur qu'il soit !

Ainsi j'ai passé tout l'automne, et jusqu'à la Noël j'ai cru à une guérison complète. Mais en janvier, une pointe de froid m'a subitement raidie de nouveau. On m'a plaisantée en disant que mes vertèbres se gelaient, par sympathie, en même temps que le bras mort de la Durance. Une fois de plus, en quelques séances, l'acupuncture a calmé la douleur, assoupli le dos, le cou, le genou, avec des aiguilles et des massages aux ultra-sons. Cette crise n'a été comparable aux anciennes ni en violence ni en durée. L'organisme en meilleur état peut mieux réagir et s'aider lui-même. J'ai fait quelque chose de plus : dans mon enquête sur « la mer qui guérit » (laquelle mer comprend la Méditerranée !), j'ai connu à Marseille l'Etablissement des Bains de mer chauds, autrement que par son enseigne. Il en sera question plus loin, dans l'exposé des diverses thérapeutiques méditerranéennes, déjà très importantes, qui vont en se multipliant et se perfectionnant.

Aussitôt remise en bonne voie par l'acupuncture, j'ai fait alterner celle-ci avec les bains de mer chauds. Et, de nouveau ce fut la remise à neuf. A chaque séance d'aiguilles et de massage d'une part, de bain de mer à 38° d'autre part, l'allégement était sensible, et la mobilité revenait aux vertèbres et aux articulations. En trois semaines tout était terminé. Le printemps, les bains de soleil et, de temps en temps, en cas de besoin, les bains de Marseille me conduiraient jusqu'aux bains bretons de l'été suivant.

Mon exemple étant insuffisant, j'ai demandé à des curistes, soignés en même temps que moi ou repartis chez eux avant moi, de m'écrire pour me donner des nouvelles précises de leur santé récupérée. Beaucoup allaient retrouver une vie active, à la ville le plus souvent, c'est-à-dire dans des conditions moins bonnes qu'en nos jours de cure.

Je série leurs réponses pour éviter de trop fréquentes répétitions. Beaucoup parlent avec une totale confiance d'une deuxième cure qu'ils feront à l'automne, deux petites valant toujours mieux qu'une longue, et de celle (ou celles) qu'ils referont l'année prochaine.

Quelques-uns, partis très sceptiques à la mer chauffée, m'en disent leur étonnement et leur enthousiasme. Les crampes d'écrivain ont cédé, puisque les malades peuvent m'écrire !

Un violoniste, paralysé de la main gauche, est tout joyeux de pouvoir refaire les pizzicati.

Le constipé chronique a réappris à rire. Quelle victoire !

La plupart attendaient la fin de l'hiver pour être plus sûrs de leur fait. Mais il faut enfin que mon livre parte ; je regrette beaucoup de ne pouvoir dire ici ce qu'auront été pour eux ces mois froids ou humides.

Une dame, très intéressée par mon enquête, m'écrivait en juillet :

« ... Je suis allée me soigner pour de l'arthrose et un état général excessivement déficient à la suite d'un immense chagrin. J'avais maigri de quinze kilogs, ne dormais que très peu, etc., etc. Mon état général est très amélioré, certes, et je revis. J'ai repris du poids et je continue. Pour l'arthrose, il n'y a que treize jours que je suis rentrée et il est trop tôt pour tabler sur les résultats. Il faut attendre et je le fais avec la plus entière confiance... »

Le 8 août elle m'écrivait de nouveau :

« ... Il y a trois semaines je vous disais n'avoir encore ressenti qu'une amélioration sensible dans l'état général, mais que de l'arthrose je ne pouvais pas encore juger. Il en est heureusement tout autrement à présent. Je serais une ingrate de ne pas le signaler. Depuis dix à douze jours je vais de mieux en mieux. Pensez que je puis marcher sans ma canne autour de la maison, et cela facilement, moi qui ne la quittais pas, même dans ma chambre ! Tous les jours je sens un progrès, mes jambes plus solides. Je souffre beaucoup, beaucoup moins : ce n'est même pas comparable.

« J'ai toujours eu confiance, ayant vu d'ailleurs plusieurs

personnes qui revenaient de cure l'an dernier en me disant
le bien profond, suivi, qu'elles en avaient eu. Oh ! oui ! Je
suis enchantée de la mienne. Je la referai l'an prochain.

« ... J'ai senti, il y a dix-huit mois, les premières douleurs
rhumatismales et me suis traité l'hiver dernier par radio-
thérapie, après diagnostic d'arthrite cervicale. J'ai continué
par la suite à ressentir les mêmes douleurs sans cependant
les voir augmenter.

« J'ai entendu parler des bains de mer chauds et me
suis décidé pour cette cure, du fait, simplement, qu'elle
est au bord de la mer et que je suis marin, sinon par pro-
fession tout au moins par goût.

« Ayant atteint la cinquantaine, je désire surtout pouvoir continuer à mener une vie active où le sport, le grand
air ont une place importante.

« J'ai suivi ma cure très sérieusement et j'en ai ressenti
un soulagement très net. Mais je ne porterai un jugement
définitif que l'hiver prochain si, comme je l'espère, l'amélioration continue. En tout cas j'ai éprouvé un très grand
bien général de cette cure, et je suis décidé à la faire de
nouveau l'année prochaine... »

Madame J. D..., Paris 24 juillet.
« Aux amis qui m'interrogeaient à mon retour de cure,
je répondais : Dans trois mois je vous donnerai une réponse
précise.

« Je crois ne pas m'être trompée. Je persévère dans les progrès.

« J'ai quarante-cinq ans et souffre surtout depuis cinq ans d'une arthrose des deux hanches, installée sur une luxation congénitale double, qui fut réduite par plâtre dans mon très jeune âge. Donc, douleurs permanentes, quelquefois très violentes, au niveau des hanches et dans le bas de la colonne vertébrale. Ma perte de mouvement s'accentuait très rapidement et je commençais à boiter.

« Je suis infirmière à domicile. J'ai une très grosse clientèle, ce qui m'obligeait à monter les escaliers, cramponnée à la rampe. La conduite de ma voiture m'occasionnait des crampes douloureuses.

« Je suis partie en cure très fatiguée. J'y suis restée dix-sept jours pendant lesquels j'ai rapidement gagné souplesse et nette amélioration des mouvements. La douleur cédait peu, pourtant.

« Rentrée à Paris, très reposée, j'ai repris mes activités intenses avec beaucoup plus de facilité. Je monte les escaliers sans le secours de la rampe. Je n'ai plus de crampes en auto. Ma résistance à la fatigue est nettement plus grande. Mon entourage me trouve rajeunie.

« Je fais la cure à domicile de bains d'algues, je continue ma gymnastique avec un moniteur. A chaque séance nous notons des progrès. Ma marche s'améliore. Le miracle commence. La douleur cède petit à petit.

« Je compte retourner en septembre une dizaine de jours pour parfaire ma cure initiale. Je vous en donnerai d'autres nouvelles, souhaitant votre étude profitable à tous ceux qui souffrent. »

Un vieux monsieur de soixante-seize ans, noué de rhumatismes, arrivé douloureux et bossu, reparti droit et remis à neuf, m'écrit :

« ...J'ai cru que tout était terminé. J'étais complètement redressé, mes membres avaient retrouvé leur souplesse, mon moral était excellent. Bref, je me suis beaucoup trop fatigué. J'ai jardiné, j'ai nettoyé ma petite propriété, enfin je me suis livré à toutes les occupations possibles d'un retraité. J'ai eu tort de repartir si vite et si fort, car au bout de quinze jours, je ressentais de nouveau quelques petites douleurs, et surtout une grande fatigue. Ma tension avait baissé. Malgré un mois de repos complet je n'ai pas encore bien retrouvé mon équilibre. Mais je souffre quand même beaucoup moins qu'avant ma cure et si je peux passer mon hiver comme je suis en ce moment, je m'estimerai bien heureux des résultats obtenus. »

Après le *Monsieur qui a repris trop vite et trop fort* des occupations trop pénibles, qui a négligé les conseils relatifs à la post-cure, voici le cas de la dame *qui s'est soignée trop tard*. Cette lettre est la plus utile de toutes, la négligence à se soigner rendant plus difficiles et plus précaires toute chance et tout espoir :

Paris, 2 août.

« ... Je souffre depuis trente-cinq ans d'une poliarthrite évolutive, devenue chronique. Les traitements, médicaments appliqués à très fortes doses, ont donné des résultats désastreux. Ma vieille maladie est malheureusement une de celles devant lesquelles la médecine est impuissante. Je ne suis pas venue demander des miracles mais simplement, si possible, une stabilisation et la possibilité d'un hiver meilleur.

« Voilà deux ans que je fais ma cure et j'en ressens toujours un réel bien-être. Je ne regrette qu'une chose : c'est de n'avoir pas connu cette station au début de ma maladie. Je suis sûre que je ne serais pas dans l'état où me voici actuellement. Une maladie *doit* se prendre à temps, sinon on en arrive au stade où doit être banni l'espoir d'une vraie guérison. »

Cet échantillonnage donne un bref aperçu des cas traités. Avec des variantes, chacun est à plusieurs exemplaires. Les citer tous serait fastidieux. J'ai voulu éclairer des facettes diverses de la guérison par la mer. Elle n'a pas encore, la Grande Mère, donné son entière mesure et tant de malheureux gémissent sans soupçonner son pouvoir sur le Mal !

MARE NOSTRUM

Être guérie, être ravie, le dire à ceux qui n'espèrent plus guère et qui vivent en gémissant à peu près comme s'ils ne vivaient plus, rendre hommage aux sauveurs, les éléments naturels et les hommes, voilà quel a été mon but.

Mais en faveur de la Bretagne et de la Manche qui la baigne, ne trahissons pas la Provence et notre Méditerranée.

La France est bien favorisée avec tant de côtes, et si différentes. Elle offre ainsi une gamme très riche à la thérapeutique. Le sol d'une station est important, qu'il soit granitique, calcaire ou sablonneux, sec ou humide, avec ou sans marée. L'orientation de la côte aussi. Dans un article sur *Les cures marines* le docteur Pierre Bardin précise : « Certaines plages orientées vers l'ouest sont particulièrement éventées et provoquent une très violente stimulation : Berck est le prototype. D'autres, telles que La Baule, orientées vers le sud et protégées ainsi des vents d'est et du nord, ont des qualités thérapeutiques plus douces. Il suffit d'une colline, d'une falaise, d'un bouquet de bois pour protéger la station contre les vents, et ceci explique pourquoi des plages voisines peuvent avoir des qualités thérapeutiques très différentes. Il existe parfois dans la même station des différences marquées de climat suivant l'exposition au vent de la villa ou de l'hôtel. En général, sur les plages de l'Océan, le vent d'ouest, venant du large, est calmant et le vent de terre, excitant. Au contraire, sur les côtes méditerranéennes, le vent du nord — le mistral — est excitant et celui du sud chaud, calmant. »

La violence des vagues, la présence ou non des marées jouent leurs rôles divers. Il faut savoir choisir la côte où envoyer malades, débiles, enfants. C'est l'affaire du médecin.

« Les stations de stimulation violente, poursuit le Docteur Bardin, accueilleront les rachitiques, les tuberculeux ganglionnaires, osseux ou ostéo-articulaires, pris autant que possible dès le début, en dehors de toute poussée aiguë, à la condition absolue qu'ils soient indemnes de tuberculose pulmonaire ou laryngée. Aux stations de stimulation moyenne nous enverrons les enfants débiles, ganglionnaires, lymphatiques, anémiques, les petits citadins étiolés, sans appétit, délicats, dont le développement s'effectue trop lentement. Enfin les stations de stimulation atténuée conviendront aux séquelles de bronchites, de broncho-pneumonies, de coqueluches, avec adénopathie trachéo-bronchique, infectieuse, voire même tuberculeuse. (......) La zone Nord qui s'étend de la frontière belge à la pointe du Finistère, de stimulation énergique, convient aux résistants. Cependant certaines stations de la côte bretonne-nord, telles que Roscoff, Saint-Briat, jouissent d'un climat égal, tempéré l'hiver, et conviennent pour cela

129

même aux scrofuleux. Le climat de la côte ouest, baignée par l'Atlantique, s'adoucit à mesure que l'on approche du Midi. La mer, moins agitée, déroule ses marées sur de belles plages de sable. Elle convient à de moins résistants. La côte française entre l'Espagne et l'Italie, celle de Corse, d'Afrique du Nord, ou zone Sud, sans marée et à température relativement élevée, convient aux sujets délicats avec peu de réaction [1] »

Les médecins sont unanimes à recommander pour tous les enfants, particulièrement pour ceux qui sont débiles, une période plus calme et douce visant à l'acclimatation. Toutefois le Professeur Rohmer remarque le parti admirable qu'on peut tirer de la vitalité des jeunes. « On peut, dit-il, exiger beaucoup d'organismes qui ne sont faibles qu'en apparence, et qui réagissent aussi bien au rude climat d'une plage du nord que, par exemple, à un séjour d'altitude en hiver. »

Quelles ressources incroyables offrent donc nos côtes, si belles, se complétant si harmonieusement !

Quoi de plus contrasté en fait que l'Océan breton, vert sur son granit sombre, et notre Méditerranée toute pailletée de soleil, riant sur des récifs qui parlent de la Grèce ?

Dans leurs caractères profonds, nos deux mers diffèrent autant que dans leur apparence. Pour parler d'un détail, cette allergie personnelle à la Méditerranée que la Manche a paru guérir par son seul manganèse (sans que j'aie jamais pris encore les précieuses ampoules d'oligo-éléments)

1. *Les cures marines*, Dr Pierre Bardin, chef de clinique à la Faculté de Médecine de Paris. *Les nouvelles thérapeutiques*, Vigot, Paris 1938.

me prouve déjà quelque chose. La déduction logique est bien que chaque mer, chaque point même de la côte, doit, comme le dit le Docteur Bardin, soigner, guérir des affections qui lui sont propres. Nous le vérifierons sur place, prospectant maintenant la rive bleue de Méditerranée.

Rouvrons ici le grand, le précieux livre de René Quinton, *L'eau de mer, milieu organique :* « L'eau de mer typique, dit le savant, est celle des grands océans. Chaque fois qu'une mer se trouve relativement isolée, sa composition chimique se particularise, par suite des influences locales que ne vient plus nouer la grande masse océanique. Les mers isolées, soumises à une évaporation intense, se concentrent (Méditerranée, mer Rouge, mer Morte) ; celles, au contraire, situées sous des régions plus froides, recevant le tribut de nombreux ou de puissants cours d'eau, se dessalent (mer Baltique, mer Noire, mer d'Azov, mer Caspienne, etc). C'est ainsi que la concentration saline des grands océans étant en moyenne de 35 grammes par litre, celle de la Méditerranée s'élève à 38,6 grammes [2]. (...) En outre, la concentration saline ne varie pas seule dans ces différentes mers, mais, ce qui est plus important, le rapport des sels entre eux. (...) Tout au contraire, la grande masse marine du globe, constituée par les trois grands océans Atlantique, Pacifique, Indien, présente une composition stable. » Quinton précise ailleurs : « Ce qui constitue la

2. A Marseille, elle arrive même à 40,6 grammes.

composition chimique réelle d'une solution, ce n'est pas sa concentration, mais le rapport entre elles des matières dissoutes. Or, dans tous les échantillons prélevés sur l'étendue immense des grands océans, le rapport des corps dissous reste remarquablement constant. »

L'iode organique et l'iode minéral, si importants, ne sont pas, entre autres produits, numériquement aussi concentrés dans les deux mers, ni, par conséquent, dans l'atmosphère au-dessus. Et dans la Méditerranée on m'assure que l'iode minéral prédomine, ainsi que des bromes, ce qui rend l'eau et l'air du lieu particulièrement excitants. Toutefois, ceux que notre mer incommode, qui y deviennent allergiques, insomnieux, peuvent corriger ces défauts en absorbant, après consultation, les oligo-éléments qui leur manquent ou qui sont chez eux en déséquilibre.

L'eau de mer méditerranéenne guérit, elle aussi — mais différemment. La preuve en est que depuis presque un demi-siècle un Etablissement de Bains de mer chauds fonctionne toute l'année à la Corniche de Marseille.

Je sais : les côtes de Bretagne sont granitiques, et les nôtres, calcaires. Les Bretons m'ont dit que tout vient de là. Mais le docteur de la Farge, de Cannes, fait remarquer avec juste raison : « En ce cas, les Maures, l'Estérel, le Tanneron, la Corse sont aussi des massifs primaires qui ont survécu à l'effondrement de l'ancienne Tyrrénide. »

On m'a dit encore : « Les algues bretonnes, bien plus nombreuses et plus variées, découvertes par la marée, enrichissent l'eau et l'air de leurs éléments qu'elles évaporent. » Cela est sûr. Cependant notre mer, si elle a moins d'espèces différentes, en a aussi, et en quantité. « A telle enseigne,

me signale l'Etablissement de Bains de mer chauds marseillais, que trois ou quatre fois par an, nous devons fermer la
maison pendant vingt-quatre heures pour qu'un scaphan-
drier nettoie les crépines et les longs tuyaux de pompage
totalement obstrués par ces algues. La preuve qu'elles sont
iodées (quelle que soit la forme ou la qualité de leur iode)
c'est qu'en usine on extrait, ici, cet iode. » Avec les Marseillais, j'abandonne aux Bretons leurs variétés innombrables, mais pour la quantité (j'en appelle aux scaphan-
driers !), si nous n'avons que des algues vertes, nos mar-
chands de poissons n'en manquent pas aux étalages !

Nous n'avons pas les grandes marées océanes ni cette
euphorie de la mer sur les prairies découvertes deux fois
par jour, ni, par conséquent, l'ionisation qui vient de ce
brassage énorme. Mais nous avons celui des vagues, et ce
brassage-là n'est sûrement pas négligeable.

Et puis, nous avons trois cents jours de soleil par an !
Que d'ultra-violets ! Et quelle douceur de l'atmosphère et
de l'eau tout offerte !

C'est pourquoi, le long de nos côtes claires, une formule
neuve, adaptée aux richesses du crû, a fait fortune comme
ailleurs : le sana hélio-marin.

La Manche et l'Océan ont leurs sanas à eux. Nous avons
les nôtres, les ensoleillés, et nous y soignons des milliers
d'enfants souffrant de séquelles tuberculeuses, d'anémie,
de rachitisme, ou traînant une hérédité déplorable. « Les
bains de mer, alors, me dit le professeur marseillais Jean
Piéri, se combinent à l'héliothérapie qui doit être progressive et modérée, avec indications et temps d'insolation
précisés par le médecin. » Les contre-indications qu'il

donne sont, ici comme dans le Nord : « toute atteinte broncho-pulmonaire ou pleurale, récente ou ancienne, non entièrement guérie, tout état fébrile, toute affection nerveuse surajoutée, tout état tumoral ».

Ces sanas hélio-marins se ressemblent sur tout le littoral. Le docteur Jean Bastide, qui dirige celui du Grau-du-Roi depuis sa fondation en 1933, me donne sur le sien les mêmes indications et contre-indications :

« L'Etablissement est destiné au traitement des affections osseuses, articulaires, péritonéales, ganglionnaires, de toutes origines. La tuberculose entre pour une certaine proportion, à l'exclusion, bien entendu, des localisations pulmonaires, mais un pourcentage de 60 % environ comprend toutes les affections osseuses et articulaires de tout autre nature : dystrophies, séquelles traumatiques, dégénérescences rhumatismales, etc. L'Etablissement comprend 164 lits d'adultes des deux sexes, et 111 lits d'enfants, soit un total de 275 malades. Nous sommes équipés pour associer à la cure hélio-marine les traitements physiothérapiques et kinésithérapiques les plus variés. Un service est spécialement affecté au traitement des déformations vertébrales de l'enfance. Nous sommes en train de construire un centre de réadaptation fonctionnelle et motrice qui recevra tous les porteurs d'une impotence fonctionnelle en vue de la récupération sociale et morale. »

Les travaux en cours sont très importants, très importantes sont aussi les réalisations acquises et perfectionnées chaque année. Tant de confort, tant de clarté et de tels moyens naturels mis au service de la science, c'est déjà une certitude de guérison, et tous les espoirs dès le seuil.

Palavas a aussi son Institut Marin. Il s'est, semble-t-il, plutôt spécialisé dans le traitement des tuberculoses rénales. Le soleil, la mer, le grand air et les traitements appropriés récupèrent un nombre imposant de malades.

Hyères possède aussi ses sanas. Je connais les deux, aussi parfaits et admirables l'un que l'autre. Ce que je dirai d'eux, pris comme prototypes, pourrait se répéter pour tous les autres. A l'Almanarre comme à la Plage, comme on l'avait fait à Perharidy et comme on le ferait n'importe où, à Berck ou ailleurs, on m'a montré les salles claires : de classe, de récréation, de cure sur la mer, de spectacle ; et les dortoirs, les chambres, les réfectoires pour grands, petits, moyens. Partout les murs et les parquets sont recouverts de mosaïques. Tout éblouit de clarté, d'horizons ouverts. Le dernier mot du confort dans l'hygiène. Un charme lumineux fait de toutes les harmonies, de toutes les beautés, exhalant le bonheur de vivre, de revivre — la Joie, pour tout dire d'un mot.

Les blocs médicaux, modèles du genre, y sont partout à la pointe du progrès. Mais alors qu'à Perharidy, par exemple, on ne soigne les enfants qu'avec les agents naturels, on guérit dans nos hélios en ajoutant des médicaments à la chirurgie, à la mer et à son soleil. Après des semaines, des mois, ou des années, selon le cas, ici comme dans les autres sanas de toutes les côtes de France, ce sont des enfants bien guéris que la doctoresse, si savante et si maternelle, rend à leur vraie famille en même temps qu'à une existence nouvelle. A Hyères, les bains ne sont pas chauffés artificiellement.

« Nous l'avions fait, naguère, me dit le Directeur, au

135

sana de la Plage, et il y avait eu d'autres essais du même genre çà et là. Mais nul alliage employé pour les pompes et les tuyaux, nul, pas même le bronze, ne résistait à la salure intense. C'est ce facteur économique qui nous a obligés, les uns après les autres, soit à abandonner, soit, comme nous ici, à ne pas recommencer lorsqu'après les hostilités on a rebâti l'Institut. Toutefois, comme l'eau, chez nous, l'eau naturelle, de la mer dans la baie, est généralement à 18 ou 20 degrés, la question de température n'est pas grave pour nos enfants. On les re-baigne et on les douche par hygiène, à chaud, à l'eau douce. »

Aux bains de mer chauds de Marseille j'ai appris les ennuis, les frais considérables que cause la mer en rongeant rapidement tout alliage essayé jusqu'ici. Roscoff aussi remplace souvent, tuyaux, pompes, clapets, soupapes. Moins souvent, cependant qu'en Méditerranée, étant donné le taux de concentration inférieur de la Manche.

Mais il y a longtemps que les sanas et les hélio-marins sont connus : sur eux, je n'apprendrai rien à personne.

Or, si bizarre, que cela semble, Marseille a justement quelque chose à nous apprendre avec ses Bains de mer chauds.

Tous ceux qui, selon l'expression consacrée, *font la Corniche* (Dieu sait s'ils sont innombrables de par le monde !) ont vu au bord de l'eau, sur les rochers du Roucas-Blanc qui se prolongent, cet établissement à la modeste enseigne. Je l'ai, moi aussi, toujours vu. J'ai même habité dans son voisinage. J'avais cru jusqu'à cette enquête, qu'on y chauffait l'eau de la mer pour les personnes délicates ou les enfants chétifs qui redoutent le froid. Beaucoup de gens des alentours, qui avaient vu l'établissement en passant, s'y trompaient comme moi. Et l'on me dira encore que les Marseillais sont bavards et vantards !

Car on y soigne, dans cette maison claire ! Des médecins de Marseille et même de plus loin y envoient des malades, et le directeur m'indique qu'on y donne par an, sur ordonnances, de 22 000 à 25 000 bains.

A première vue, on peut m'objecter qu'ayant habité la Corniche, à côté des Bains de mer chauds, je suis allée chercher bien loin, en Armorique, ce que j'avais là sous la main. Je m'excuse auprès des rieurs, mais Roscoff et Marseille, loin de se concurrencer, se complètent. Ce ne sont pas les mêmes maladies qui relèvent de leurs deux mers. « Chaque climat, écrivait déjà Michelet, est un remède. La médecine, de plus en plus, est une émigration. Une émigration prévoyante. »

Si les arthritiques et les cellulitiques sont soignés à Rockroum, particulièrement équipé pour cela, si les déficients de tous ordres, tuberculeux (sous quelques réserves) et rachitiques, se récupèrent dans à peu près tous les climats marins, l'Etablissement de la Corniche, lui, soigne à Marseille ce qui relève, en gros, de la chaleur d'une part, de la désintoxication de l'autre, c'est-à-dire en particulier les séquelles rhumatismales et cellulitiques ainsi que je l'ai expérimenté.

J'augmentais peu à peu la température du bain, jusqu'à 40°, mobilisant, comme à Rockroum, le membre douloureux dans cette eau chaude qui vous porte, réglant moi-même sur l'excitation de mon cœur la durée du bain bienfaisant, et provoquant la sudation pendant un long repos, toujours comme en Bretagne, dont je connaissais et pouvais pratiquer ici les plus sommaires rudiments de technique. On soigne aussi dans l'Etablissement tout ce qui touche à la pédiatrie. Mais surtout la maison est spécialisée dans les affections d'ordre gynécologique.

Elle n'a pas de médecin attaché. Ceux de la ville et de la région envoient non seulement des enfants mal venus, ganglionnaires, rachitiques, aux jambes arquées, etc., mais des femmes atteintes d'affections de l'utérus, métrites, salpingites, ovarites, congestions internes diverses, hypertrophie des organes, etc. et fibromes.

L'établissement comporte une bonne vingtaine de cabines équipées avec de l'eau de mer froide et de la chaude, qu'on peut mélanger selon les besoins des malades. L'eau est puisée au large au moyen de 160 mètres de tuyaux qui la prennent à six mètres de fond. Ces tuyaux, rongés par la mer, ne durent pas plus de six mois, et on les remplace, pièce à pièce, presque continuellement. Dans les sous-sols de la maison, de grandes cuves munies de serpentins fournissent sans arrêt l'eau chaude.

Pour les enfants, les cabines comportent de petites baignoires où des baigneuses qualifiées plongent en des bains progressifs et soignent les malades selon les indications précises du médecin. Après quoi, galerie de repos, plage, sable, soleil, complètent la cure, toujours sous contrôle.

Pour les femmes, l'équipement de la baignoire se complète d'un bock à injection muni d'une canule adéquate qui permet, dans l'eau chaude d'une baignoire, de doucher intérieurement les organes à des températures bien supérieures. Pour la métrite, l'eau est à 40, 42 degrés, par exem-

ple et la patiente prend entre douze et trente bains généraux avec injection — toujours selon la stricte ordonnance
de son médecin. Pour les salpingites, ovarites, fibromes, le
traitement comporte généralement trois à quatre bains par
semaine.

« Le succès le plus spectaculaire, me dit l'infirmière de
l'Etablissement, est celui qui a trait à la résorption des fibromes. Après une trentaine de bains avec injection, nombre
de femmes (je veux dire des milliers !) ont évité complètement ou retardé l'opération. D'autres ont été guéries tout
à fait, le fibrome s'étant desséché. De même se réduisent
très fréquemment les kystes de l'ovaire. Comme toujours,
il faut que la maladie soit prise assez tôt et que la malade
soit persévérante. Nos bains et injections sont également
efficaces dans les convalescences, après des opérations
gynécologiques ou des accouchements difficiles, quand il
s'agit de décongestionner les organes lésés et de rendre du
tonus au corps afin qu'il se réadapte à la vie. Dans tous les
troubles de la circulation et dans les cas de règles douloureuses, même amélioration, non seulement rapide mais
durable.

« Une autre de nos indications remarquables concerne
les fractures. Plâtre enlevé, le membre se meut bien dans
l'eau chaude. Par les massages sous cette eau ou dans l'air,
la souplesse revient après quelques séances.

« D'autres malades sont ceux que je dirai demi-malades,
les vieillards débilités, tous les fatigués, ceux et celles qui,
forcés de rester longtemps debout du fait de leur métier,
sont las, souffrent du ventre, sans avoir de lésion. Ce sont
les *fonctionnels*. A nous d'éviter qu'ils ne deviennent, par

négligence, *lésionnels*. Quelques-uns, quelques-unes (car les femmes surtout souffrent de ce côté) se remettent sur pied en trois ou quatre séances. Il en est qui, grâce à nos bains, sans cesser leur travail pénible, se maintiennent en forme depuis des années.

« Autre chose encore : nous ne sommes pas équipés, comme Roscoff, pour soigner à fond tous les troubles venant de l'arthritisme et de la cellulite. Nous n'avons ici ni le traxator, ni le thermo-lumineux. Mais dans la mesure, très large, où l'eau de mer désintoxique (et sur l'indication du médecin-traitant, on peut la laisser hypertonique ou la ramener à l'iso ou à l'hypotonie), dans la mesure énorme où la chaleur *dérouille* le malade et l'anesthésie, lui permettant de se mobiliser avec ou sans l'aide d'une infirmière ou d'un masseur, bien des rhumatisants trouvent ici, comme vous-même, un vrai soulagement. J'en dirai autant pour la cellulite. Nous appelons, pour ceux qui le désirent, un masseur qualifié. Sur ordonnance, avec croquis du médecin-traitant, cellulitiques et obèses trouvent chez nous un soulagement certain. Je peux vous en citer des cas. »

La préposée aux bains passe, des linges sur le bras, suit la longue galerie vitrée où, traitement fini, les malades et les demi-malades se reposent mollement dans des chaises longues. De *transat à transat* s'échangent des idées ou des points de tricot. L'infirmière appelle la dame-aux-serviettes :

— Depuis combien de temps vous soignez-vous, ici, sans être malade. Et pourquoi ?

La femme rit :

— Depuis vingt-trois ans, chaque soir, la journée finie,

je prends, moi aussi, mon bain chaud pendant vingt minutes. Et je m'en vais, remise à neuf, chaque jour un peu
rajeunie.

Franchement, je m'étonne :

— Vingt-trois ans de ce régime ! Il faut que cette eau
de mer chaude soit aussi une eau de Jouvence !

— Mais, dit gaiement la femme, ce n'est pas moi qui
voudrais vous faire mentir ! »

Il faut encore signaler qu'à Marseille, également sur la
Corniche, le sanatorium Jean-Martin, fondé par le philanthrope dont il porte le nom, employa longtemps l'eau de
mer chaude associée à l'héliothérapie. Il n'est plus qu'hélio-
marin.

Jean Martin avait fait des travaux considérables pour
amener l'eau. Une galerie avait été creusée dans le roc ;
elle passait sous la route de la Promenade. Une pompe
emplissait ainsi deux piscines d'une contenance totale de
35 000 litres. Une chaudière tubulaire y portait l'eau de
mer à 34 degrés. Les enfants y prenaient des bains chauds
trois fois par semaine.

« Nous obtenions des résultats remarquables », me dit
le docteur Poucel qui fut longtemps l'un des organisateurs
et le chirurgien de cette belle œuvre.

Le docteur Poucel considère d'ailleurs comme un avantage, dans bien des cas, la concentration saline supérieure
de la Méditerranée, car l'action physico-chimique sur l'organisme est ainsi plus manifeste.

C'est aussi à Marseille qu'une expérimentation intéressante a été faite par le docteur Jean Sedan, chef de clinique à l'Ecole de Médecine. Il utilisait l'eau de mer pour soigner une maladie des yeux chez les enfants : la kérato-conjonctivite phlycténulaire. Dans une étude publiée en 1923 [3], il relate vingt-sept cas traités ainsi, dont 4 seulement ne purent être améliorés. Le traitement était fort simple : tout en continuant les soins locaux, le docteur Sedan ordonnait aux petits malades une série de 8 à 10 bains de mer chauds à 30 — 35 degrés, pris le soir.

Telle est bien — à la fois Mère et Médecin — cette vaste Mer dont Michelet nous dit : « Tous les principes qui, en toi, sont unis, elle les a divisés, cette grande personne impersonnelle. Elle a tes os, elle a ton sang, elle a ta sève et ta chaleur, chaque élément représenté par tel ou tel de ses enfants. Et elle a ce que tu n'as guère, le trop plein et l'excès de force. Son souffle donne je ne sais quoi de gai, d'actif, de créateur, ce qu'on pourrait appeler un héroïsme physique. Avec toute sa violence, la grande génératrice n'en verse pas moins l'âpre joie, l'alacrité vive et féconde, la flamme de sauvage amour dont elle palpite elle-même. »

3. Communications au Comité Médical des Bouches-du-Rhône, 1922-23.

X

ÉTENDUE DES
RÉALISATIONS ALLEMANDES

Il y a plus de deux cents ans que le médecin anglais Richard Russel posait les premiers jalons d'une thérapeutique marine. Et depuis plus d'un demi-siècle, on a beaucoup parlé de thalassothérapie, on a vu se créer des établissements marins pour soigner les maladies osseuses. Mais cette première étape, aujourd'hui classique, n'avait guère tenu compte que des vertus curatives du climat, — si l'on excepte René Quinton et Louis Bagot qui, l'un avec les injections d'eau de mer, l'autre avec les bains de mer chauds, abordaient une utilisation de la mer elle-même.

Il faut bien reconnaître que la cure marine, en France (outre les hélio-marins), se borne toujours aux moyens offerts par l'unique Institut de Roscoff et aux Bains de mer chauds dans un établissement de Marseille[1]. Mais en quelques décades, les Allemands ont considérablement développé les possibilités de cette nouvelle thérapeutique, et ceci à tous les points de vue.

En Mer du Nord et en Baltique, tant sur la côte que dans les îles de la Frise septentrionale et de la Frise orientale,

1. Voir Additif de 1963 en fin de volume.

des stations balnéaires se sont équipées pour la cure marine. Leur capacité permet de faire face aux besoins toujours croissants de la population et à l'afflux des étrangers, qui ne cesse également d'augmenter, grâce à une habile publicité autant qu'aux excellents résultats obtenus.

A Baltrum par exemple, petit village de 350 habitants, la capacité d'hébergement est de 1 100 lits, plus une maison d'enfants. Norderney, pour 7 200 habitants, offre 8 500 lits, et sept maisons d'enfants réunissant 650 lits. Cette station, qui est la plus ancienne de la Mer du Nord, est ouverte toute l'année, et comporte une piscine couverte d'eau de mer chaude à vagues artificielles. Tout a été prévu pour la distraction du curiste suivant ses goûts propres, avec un théâtre, trois cinémas, un casino avec salles de concert, de conférences et de lecture, la musique étant considérée comme un élément psychique de guérison. En aménageant leurs stations, les Allemands ont pris soin de ne pas leur donner l'aspect d'un vaste hôtel.

Mais l'effort des Allemands ne s'est pas borné là : ils ont fait œuvre originale en appliquant de nouvelles techniques de cure. Dans un remarquable ouvrage [2], traduit en quatre langues, une vingtaine de praticiens allemands ont exposé le bilan de leurs expériences dans ces stations, les résultats qu'ils obtiennent en combinant les effets du climat marin, de l'eau de mer chauffée, des boues marines, des aérosols marins, enfin de la cure d'eau de mer sous forme de boisson.

Le Docteur Lassius, de Norderney, qui fut délégué par ses confrères au congrès de Perros-Guirec sur la cure

2. *ABC de la thérapeutique marine.*

marine, y attira l'attention sur un élément qui semble curieux au premier abord : « Sans vent et par une mer calme, les effets curatifs diminuent aussitôt, déclara-t-il en parlant des malades soignés à Norderney. Les meilleures cures de 1955 ont été faites en février, et cette année, ce sera certainement le cas pour janvier. Or, en ces deux mois, il y a eu constamment de fortes tempêtes, et nous n'avons eu aucun patient dont l'état ne se soit au moins amélioré. » Le vent est notre soleil, disent les médecins allemands familiarisés avec la cure marine. Et le Docteur Hänsche, de Riderau, souligne même que, pour l'asthme et la dystonie végétative (liée à un excès vagotonique), les cures estivales provoquent en général des crises violentes.

Plus le vent a de force, plus la mer se trouve agitée, et l'air transporte alors un aéro-plancton fait de micro-organismes et de substances minérales formant un véritable aérosol marin bactéricide. « Ainsi, déclare le Docteur Bensch, de Borkum, la plage reste le plus parfait des inhalatoires naturels ; à chaque inspiration, les poumons et les tissus du corps sont imprégnés d'air frais et pourvus de précieuses substances minérales et chimiques. » On retrouve ici, une fois de plus, le rôle de ces oligo-éléments que la grande presse commence à révéler au public [3]. On ne se borne d'ailleurs pas à cet effet climatique dans les instituts

3. Voir « Les mystérieux oligo-éléments », *Reader's Digest* de novembre 1956. Cet article se borne d'ailleurs à vulgariser des connaissances acquises depuis un demi-siècle sur le rôle des oligo-éléments dans la composition des sols, et n'aborde pas leur utilisation thérapeutique, dont le Français, Docteur Jacques Ménétrier reste le précurseur — tant par son expérience médicale qu'avec son ouvrage, *La Médecine fonctionnelle*, Pachomy, 1954.

allemands, et des inhalateurs spéciaux sont employés pour obtenir — avec l'eau de mer hypertonique, ou ramenée à l'isotonie, voire à l'hypotonie — des effets particuliers sur les muqueuses.

Les bains de mer chauds sont utilisés en jouant sur la gamme des températures : « Plus la température du bain s'éloigne dans un sens ou dans l'autre du point neutre de 35°, dit le Docteur Winkler, de Norderney, plus fortes en sont les répercussions sur les régulations de la circulation et du métabolisme qui se produisent entre système sympathique et parasympathique. » Et il ajoute avec circonspection : « On n'a pas encore réussi à expliquer complètement cette action... On l'attribue à l'absorption de particules minérales, même en proportions infimes, d'où découlerait l'effet dissolvant constaté dans des séquelles d'inflammations chroniques... L'adoucissement de la douleur, dans les rhumatismes et les névralgies, est sans doute un effet ionique modifiant la charge électrique de la peau. »

Le Docteur Bensch reprend cette notion en la développant : « Les sels minéraux contenus dans l'eau de mer ont chacun de leur côté, des fonctions vitales à remplir. L'existence d'un métabolisme minéral normal repose sur une action harmonieusement coordonnée de ces différents sels ; ceux-ci ne peuvent maintenir l'équilibre de l'organisme que si leurs relations quantitatives et qualitatives correspondent à celles de la nature qui sont valables pour toute l'espèce humaine. Une rupture de l'équilibre ionique signifie une maladie qui ne peut disparaître que si l'on rétablit cet équilibre compromis. »

Cette conception de l'action opérée par l'eau de mer

chaude apporte un nouvel argument aux multiples travaux dont Joseph Favier a fait une synthèse [4]. Elle recoupe celle du Docteur Jacques Ménétrier en ce qui concerne l'action des oligo-éléments par voie perlinguale, et leurs heureux effets par échanges ioniques. Dans ces instituts allemands, l'utilisation de l'eau de mer chaude est complétée par des massages du tissu conjonctif et par des soins de rééducation, ainsi que je l'ai vu pratiquer à Roscoff, et par une gymnastique médicale et respiratoire.

Le premier bain de boue marine a été créé en Allemagne, il y a près de vingt-deux ans, à Wilhelmshaven, en Mer du Nord, et la pratique s'en est développée sous forme de bains complets ou partiels, bains de siège, enveloppements, selon le caractère ou la localisation de la maladie à traiter. Cette boue est très fine, facilement pétrie, conserve la chaleur et est employée telle quelle ; après l'avoir portée à la températude de 45 à 50°, on l'applique directement sur la peau. Son action anti-rhumatismale a fait l'objet de statistiques précises, indiquant les pourcentages suivants de réussites : 71 % pour les arthroses, 77 % pour les myalgies chroniques, 79 % pour les arthrites chroniques, 80 % pour les sciatiques chroniques, 87 % pour les autres névralgies, 90 % dans les sciatiques aiguës.

Les bains de boue marine sont utilisés dans les maladies rhumatismales, indique le Docteur Zürcher, de Wilhelmshaven : maladies subaiguës des articulations (sans état fébrile), maladies chroniques des articulations de toute espèce, rhumatismes musculaires aigus et chroniques,

4. *Equilibre minéral et santé*, Ed. Lefrançois, 1951.

névralgies et névrites subaiguës et chroniques, en particulier la sciatique primaire. Le praticien allemand conseille aussi ces applications dans les affections de la colonne vertébrale, inflammatoires ou déformantes, dans les maladies abdominales de la femme, et insiste sur leur bon effet dans les diverses dermatoses, acné vulgaire, eczéma chronique, psoriasis.

Bien avant Alain Bombard, et après René Quinton il est vrai, les Allemands ont utilisé l'eau de mer en boisson, mais à des doses beaucoup plus faibles que le navigateur de l'*Hérétique*. L'eau de mer employée pour les cures est recueillie loin des grandes routes maritimes, à cinquante kilomètres au large des côtes et à une profondeur de quinze à vingt mètres. Elle conserve donc ainsi sa composition naturelle, tandis que sa stérilité est constamment surveillée par les offices d'hygiène. Elle est prise à la dose de deux cuillerées à soupe trois fois par jour dans un demiverre d'eau, puis on augmente lentement cette dose pour arriver à quatre cuillerées.

« La cure de boisson d'eau de mer a non seulement le pouvoir de rétablir le métabolisme minéral dérangé, dit le Docteur Bensch, mais encore de faire disparaître les troubles fonctionnels qui déséquilibraient le système végétatif et le métabolisme hormonal. » L'action principale serait exercée par la combinaison complexe du calcium, du potassium et du magnésium, principaux sels quantitativement importants dans l'eau de mer avec le chlorure de sodium. Le calcium raffermit la texture des tissus, il est anti-allergique et anti-inflammatoire, et se comporte en antagoniste du sodium, entravant la formation d'un excès

148

de sel dans l'organisme. Le potassium, qui possède des propriétés analogues, règle la teneur en eau de notre corps. Le magnésium favorise les réactions de défense de notre organisme, stimule le tonus musculaire et la fonction cellulaire ; il exerce une action favorable sur l'artério-sclérose en préservant l'organisme de dépôts de cholestérine sur les parois vasculaires. Les travaux de L. Robinet [5], illustrant la thèse bien connue du professeur Delbet, sur le magnésium, ont montré d'une façon saisissante que la carte des régions plus particulièrement frappées par le développement du cancer correspondait à la carte des carences en magnésie des sols.

Les affections plus particulièrement justifiables de la cure de boisson d'eau de mer sont les inflammations chroniques des voies respiratoires, les troubles du métabolisme, l'inflammation des muqueuses gastriques avec hyper ou hypo-chlorydrie, les maladies allergiques, asthme, rhume des foins, eczéma, la constipation chronique, la dystonie végétative.

A propos de la dystonie végétative, que le Docteur Lassius attribue en grande partie à des troubles psychiques « venus des conflits conjugaux, des soucis produits par les enfants, du poids de l'impôt, de la crainte de la misère et de la guerre », les praticiens allemands s'élèvent contre la légende selon laquelle la mer serait contre-indiquée pour les nerveux. « Nous avons là un préjugé qu'il faut faire disparaître, dit le Docteur Lassius. L'expérience montre en effet qu'une cure marine sous la direction d'un médecin

5. *Terrains magnésiens et cancer.*

est plus apte que toutes les autres mesures et cures à rétablir chez les dystoniques végétatifs l'équilibre et l'harmonie. » Sur cent malades de cette catégorie, envoyés par les caisses d'assurances sociales allemandes à Norderney pour y faire une cure de quatre à six semaines, 98 % ont pu à nouveau travailler, 72 % avec de très bons résultats, 22 % avec de bons résultats accompagnés encore de troubles occasionnels, 4 % avec des résultats moyens. Il faut toutefois éviter d'envoyer en cure marine les individus atteints de la vraie maladie de Basedow, et ceux qui présentent une très forte hyperfonction de la thyroïde.

La cure marine convient également à cette masse sans cesse croissante de personnes qui ne sont déjà plus bien-portantes sans être vraiment malades : à ce qu'il est convenu d'appeler des fonctionnels. « C'est à la mer que doit se rendre l'individu sujet à des troubles fonctionnels, déclare le Docteur Schütt, de Westerland-Sylt. Et avant tout on doit y envoyer celui qui, citadinisé et domestiqué à l'excès, présente un tonus végétatif endormi ou paralysé, celui qui a un métabolisme paresseux et s'est amolli, l'homme qui a perdu la réactivité naturelle devant les excitations et les infections, le névrosé végétatif, bref l'homme moderne, l'homme surmené, énervé et privé de repos, tout aussi bien que celui qui se sent fatigué et amoindri dans son rendement, à la condition toutefois qu'il existe des réserves de force qu'on puisse mobiliser. »

Les praticiens allemands qui, dans les instituts marins, ont pu établir une véritable doctrine et une technique poussée de la cure marine, n'estiment d'ailleurs pas que la tâche est terminée. Pour eux, le développement de la thalassothérapie nouvelle doit grouper des médecins, des chimistes, des physiciens, des balnéologues et des spécialistes de la météorologie. Mais ils ont déjà pu établir un tableau de la pathologie justiciable de cette cure [6], — tableau en vérité impressionnant, et justifiant l'attirance obscure de l'homme moderne vers cette mer qui guérit.

6. Voir documents annexes en fin de volume.

XI

CONCRÈS DE PERROS-GUIREC
SUR LA CURE MARINE

Les 6 et 7 octobre 1956 avaient lieu, à Perros-Guirec et à Roscoff, deux journées d'études sur la cure marine. Principalement centrées sur l'organisation du thermalisme marin en Bretagne, elles couronnèrent les efforts tenaces d'un chercheur enthousiaste et obstiné.

M. Joseph Le Floc'h, chirurgien-dentiste, trouva son chemin de Damas grâce à un vieux pêcheur breton. Il l'avait soigné pour une pyorrhée alvéolaire sans obtenir de résultats. Pendant l'occupation, il put constater que son client s'était guéri en mâchant des pieds de laminaires ayant à peu près la texture du tabac à chiquer. Pour un esprit imaginatif, il y avait là matière à réflexion, et J. Le Floc'h se lança dans l'étude de la thérapeutique marine.

Pendant de longues années, il se consacra ensuite à un véritable apostolat pour la création d'un thermalisme marin breton, qui pourrait à la fois offrir un puissant moyen de cure à de nombreux malades et constituer une source de richesse pour son pays. Mais il se heurta au scepticisme général, et très peu de gens prirent ses efforts au sérieux.

On a dit assez de mal du journalisme pour qu'il soit permis de lui rendre justice à l'occasion. L'article [1] qui fit connaître Roscoff au grand public prouva en même temps qu'un visionnaire n'était pas forcément un utopiste, et qu'il voyait parfois plus clair que des esprits soi-disant positifs. En 1955, le mois de septembre — époque où le tourisme déserte toute la Bretagne — vit les hôtels roscovites poursuivre leur saison grâce à l'afflux de curistes attirés par cet article. Et dès le 15 mai 1956, alors que partout ailleurs les hôtels bretons restaient à peu près vides, ceux de Roscoff commencèrent à travailler grâce aux malades qui déferlaient à l'Institut marin.

Un mouvement général, dans lequel s'amalgamaient des considérations médicales, touristiques et économiques, anima la Bretagne. Le Centre de liaison des Actions Régionales, Touristiques et Economiques (Clarté), et le Comité d'Etude et de liaison des Intérêts Bretons (Célib), décidèrent alors d'organiser un Congrès qui devait permettre d'étudier certains éléments de la cure marine, mais aussi de coordonner les efforts afin d'aboutir à des réalisations concrètes en Bretagne. Effectivement, ces journées d'études virent la création d'une Fédération thermale et climatique de Bretagne, premier jalon d'un programme d'action pour le développement de la cure marine dans cette province.

J. Le Floc'h, commissaire général de ce congrès, et le docteur René Bagot insistèrent sur le fait que la thalassothérapie française s'était trop limitée à l'exploitation des possibilités climatiques, en négligeant celles de l'eau de

1. « Cures à l'eau de mer chaude en Bretagne », André Mahé, *Constellation*, août 1955.

mer, la première et la plus riche des eaux minérales.

Le Professeur Leroy, de la Faculté de Médecine de Rennes, qui est maintenant célèbre en Europe par ses travaux sur la rééducation des polios, insista d'abord sur la valeur antibiotique de l'eau de mer :

« Cet antibiotisme, expliqua-t-il, tire son origine des éléments végétaux inférieurs. L'antibiotisme de ce plasma marin se retrouve dans l'impossibilité d'y pratiquer des cultures microbiennes, dans cette action stérilisante, et par conséquent anti-infectieuse et cicatrisante, de l'eau de mer. Cette pureté biologique de l'eau de mer n'est pas simplement l'effet de l'action des ultra-violets solaires puisque dans les plus grandes profondeurs, là où le soleil n'a jamais pénétré, l'eau est bactériologiquement pure.

« C'est grâce à cet antibiotisme polyvalent que les plaies les plus rebelles guérissent, que les plaies bacillaires surinfectées se stérilisent et se cicatrisent. Cet antibiotisme est encore mal connu. Dans ce plasma marin existent de nombreux antibiotiques impondérables ou, peut-être, cet antibiotique universel que l'on désirerait voir isoler.

« En étudiant les foyers de poliomyélite en Bretagne, on est frappé par le fait que la contamination n'est jamais faite par l'eau de mer, mais par les vases et les boues des estuaires, des mares et des étangs voisins. L'agent vecteur, la mouche, ne se pose pas sur la mer mais sur les vases. La mouche n'aime pas la mer.

« Les sanas marins, où l'on a surtout utilisé le climat plus que la mer elle-même, ont déjà rendu de grands services et guéri de nombreux tuberculeux osseux. La mer a maintenant un autre avenir, d'autres ambitions, celles de redonner aux infirmes moteurs, de quelque cause que ce soit, les moyens de retrouver leur motricité. Ce que nous faisons dans nos centres rééducateurs, nous pouvons le réaliser sur nos côtes et utiliser la densité, la tonicité et l'antibiotisme naturel de l'eau de mer. »

Et le Professeur Leroy, qui a consacré sa vie à la rééducation de malheureux infirmes victimes de la poliomyélite, captiva l'attention des congressistes par l'exposé des méthodes employées par lui et par ses collaborateurs :

« On écrit que la balnéothérapie, dans la polio, n'était qu'une grande illusion. Permettez-moi de vous dire que, sans elle, des milliers de malades sont restés des infirmes, et que sans elle, on ne peut espérer de rééducation précoce. Dans l'atteinte poliomyélitique, la plus grande partie des fibres musculaires sont perdues, *mais jamais totalement*. S'il n'en reste qu'un dixième, ce dixième suffira grâce à l'eau, et plus encore à l'eau de mer. En supprimant les 9/10 de la masse, la mer permettra au 1/10 des unités motrices restantes de faire réapparaître le mouvement, de le répéter, de refaire des fibres, d'entretenir la motricité musculaire, de maintenir ou de recréer la mémoire motrice. C'est la base même de la kinébalnéothérapie. Il faut évidemment lui adjoindre la mécanothérapie active et la rééducation psychomotrice, et c'est alors qu'apparaît la nécessité de centres marins de rééducation dont le but sera de faire des êtres non pas esclaves de leurs appareils, mais maîtres de leurs mouvements, maîtres de leurs corps, des êtres libres au sens le plus noble du mot.

« J'attire votre attention sur le fait que cette méthode de rééducation déborde le cadre des séquelles poliomyélitiques. Elle peut s'appliquer dans tous les cas où la lésion en cause a détruit le circuit du mouvement volontaire dans sa voie motrice. La kinébalnéothérapie, thérapeutique par le mouvement dans le bain, est une des armes les plus efficaces que la nature ait mises entre nos mains pour lutter contre les maladies de la motricité. »

« Après cet exposé magistral, me raconte André Mahé qui était invité au congrès, un film en couleurs illustra la méthode employée au centre de Rennes par le Professeur Leroy et le Docteur Cathala. Au début, on voyait des malades décharnés, à peu près incapables de faire le moindre mouvement. Le patient est alors mis dans la possibilité physique de refaire un minimum de mouvements, grâce au soutien fluide de l'eau. Puis, sous la direction du praticien ou d'un auxiliaire, et à l'aide de multiples petits appareils ingénieusement agencés, il réapprend peu à peu à mobiliser les doigts, la main, le bras. On assiste à l'émouvant spectacle d'un adulte qu'il fallait alimenter comme un nourrisson et qui, peu à peu, se livre à la reconquête de son corps dans une baignoire. La technique s'attache ensuite à rééduquer les membres inférieurs. A la fin du film, une jeune femme que l'on a vue, dans la première séquence, décharnée comme un squelette et paralysée, donne l'impression d'être redevenue à peu près normale, en tout cas de pouvoir s'intégrer de nouveau dans la vie sociale sans être un objet de pitié et une charge pour ses proches. »

La question de l'eau de mer mise à la disposition du grand public sous forme de boisson reminéralisante ne fut malheureusement pas suffisamment abordée au cours du congrès. Joseph Le Floc'h, qui est le promoteur de cette idée en France, considère que, par suite de l'emploi de certains engrais chimiques, il y a carence minérale chez la plupart d'entre nous. D'autre part la vie trépidante des cités, la sédentarité, l'atmosphère plus ou moins polluée, accentuent ce déséquilibre, et le nombre des malades fonctionnels s'accroît sans cesse. D'après ses expériences, qui corroborent les travaux des médecins allemands, la cure de boisson d'eau de mer doit contribuer à rétablir cet équilibre minéral qui conditionne notre santé. Mais il pense, lui aussi, qu'il ne convient pas d'employer n'importe quelle eau de mer : plus rigoureux encore que les Allemands, il estime qu'une seule eau de mer serait valable en cure de boisson, celle de ce qu'on appelle la zone benthique, la zone des fonds marins, à condition que cette zone se situe dans une bande en profondeur de 80 à 100 mètres, car l'effet des rayons cosmiques qui donne à l'eau de mer sa valeur radioactive serait peu appréciable avant 80 mètres et disparaîtrait après 100 mètres.

En outre, cette eau de mer doit être ramenée à l'hypotonie, c'est-à-dire à une solution contenant moins de 9 grammes de sels au litre. L'eau de mer absorbée reste environ 1 heure 40 dans l'estomac, dit J. Le Floc'h, et elle est répartie dans l'organisme par échanges ioniques, les ions allant directement là où une complémentarité électrique les appelle. Or l'eau de mer pure, qui est hypertonique, appellerait les ions carencés du corps vers l'estomac, alors qu'il faut au contraire, grâce à une dilution hypotonique, provoquer un échange d'ions de la poche d'ingestion, c'est-à-dire de l'estomac, vers tout le réseau cellulaire.

Absorber de l'eau de mer des grands fonds, qui est uniquement minérale, conclut J. Le Floc'h, c'est donc boire de la vie, puisque l'eau de mer est elle-même vivante, puisqu'elle est l'image de notre corps, qui se transminéralisera par ses atomes.

XII

PERSPECTIVES D'AVENIR

Devant les inépuisables vertus curatives de cette mer qui guérit, on reste confondu de notre paresse à exploiter les richesses dont nous a dotés la nature. René Quinton et Louis Bagot ont été des précurseurs, mais à l'étranger seulement. La France, baignée par des mers aussi différentes que la Manche, l'Océan et la Méditerranée, avec des kilomètres de côtes aux micro-climats innombrables, est surclassée par un petit pays comme la Belgique avec les magnifiques Thermes d'Ostende [1]. Quand on a dénombré chez nous Roscoff et Marseille, on s'arrête, pris de court. Encore a-t-il fallu qu'un journaliste révélât Roscoff au grand public, et les Bains de mer chauds de la Corniche sont à peine connus des Marseillais.

1. Il convient de citer ici le Docteur Delcroix, d'Ostende, vieux routier de la cure marine, qui écrivait dès 1891 et 1895 sur le rôle du Bain de mer chaud et sur la cure de boisson d'eau de mer, et qui fut le directeur-fondateur de *La Cure Marine*, revue internationale de thalassothérapie. En Italie, le Docteur Giulio Ceresole apporta dès 1908 une contribution à la thalassothérapie nouvelle en fondant sur la plage du Lido, à Venise, un Institut pour l'étude de la physiopathologie de l'homme à la mer.

L'Allemagne n'est pas le seul pays où la thalassothérapie nouvelle a pu acquérir droit de cité. En 1954, du 8 au 13 mai, avait lieu en Yougoslavie, à Opatija, le Congrès International d'Hydro-Climatisme et de Thalassothérapie. Cette réunion de médecins et de savants présentait assez d'intérêt pour avoir été placée sous le patronage du chef de l'Etat, le Maréchal Tito. Et les quelques Français présents purent constater, par les nombreuses interventions des praticiens yougoslaves, que la cure marine leur était familière, et justifiait la publicité faite à la « Riviera adriatique ». Si le parallèle entre celle-ci et la Riviera franco-italienne était un peu forcé en ce qui concerne les possibilités thérapeutiques, il est toutefois incontestable que les Yougoslaves ont eu le mérite de mettre en valeur ces possibilités en créant des établissements de cure. Ils ont même lancé une formule originale : certains hôtels de la côte ont consacré un étage aux bains de mer chauds sur ordonnance médicale, complétés par des soins de massage.

Les deux journées d'étude de Perros-Guirec ont déjà eu un certain retentissement. Et l'on peut espérer que le prochain congrès international de Thalassothérapie sera le catalyseur, pour la France, d'efforts dispersés et jusqu'ici impuissants, en vue d'actualiser dans notre pays ses inégalables possibilités en matière de cure marine. Ce congrès aura lieu les 6, 7 et 8 avril 1957, à Cannes [2].

2. Au moment où nous donnons cet ouvrage à la composition, le Xe Congrès International de Thalassothérapie et d'Hydro-climatologie vient d'avoir lieu à Cannes, les 6, 7 et 8 avril. Il s'agissait, en fait, d'un Congrès européen où se trouvaient représentés les pays suivants : Allemagne de l'Est et de l'Ouest, Belgique, France, Grande-Bretagne, Italie, Pays-Bas, Portugal, Roumanie, Yougoslavie.

Nul endroit ne pouvait être mieux choisi, et pour de multiples raisons. Sans doute les Bretons n'ont-ils pas tort d'insister sur les valeurs spécifiques de leurs côtes. Mais on peut espérer que les considérations purement commerciales s'effaceront devant l'esprit d'émulation sur le plan médical, qui fait à chacun sa juste part en ne considérant que l'intérêt des malades. Et si la Manche ou l'Océan sont particulièrement indiqués pour certaines diathèses et pour certaines maladies, la Méditerranée n'a pas encore épuisé des vertus exaltées par Pline l'Ancien et par Strabon. Dans une époque comme la nôtre, on peut dire, hélas, que les possibilités seront dépassées longtemps encore par les nécessités, et que l'offre n'égalera pas de sitôt la demande, la thalassothérapie dût-elle connaître en France un démarrage foudroyant.

La Côte d'Azur, dans sa partie abritée du mistral qui va du cap Roux à Menton, constitue un « adret »[3] au pied de la muraille gigantesque de contreforts alpins qui la protègent du nord, et face à « l'ubac »[3] réchauffant de la Méditerranée, immense réservoir de chaleur solaire. Elle est aussi abritée du ballet aérien qui se joue entre les hautes pressions de l'anticyclone des Açores et les basses pressions de la turbulente cuvette barométrique du golfe de Gênes.

De nombreux aspects de la thalassothérapie moderne ont été abordés, et ont donné lieu à des échanges de vue entre savants et spécialistes. Les rapports présentés feront l'objet d'un ouvrage qui sera publié par les soins de l'Institut de Bioclimatologie de la ville de Cannes. En fin de congrès, l'assemblée a voté une motion ayant pour but d'attirer l'attention des pouvoirs publics sur les dangers de pollution de l'eau de mer par d'éventuels dépôts de déchets atomiques dans les océans.

3. Adret = sud. Ubac = nord.

Les vents sont rares et discrets, l'atmosphère relativement sèche, surtout en hiver et au printemps, les pluies rapides et abondantes, mais rares et espacées. Mais surtout, le climat azuréen est caractérisé par une insolation longue et intense, dépassant des deux tiers celles des autres côtes françaises.

Dans cette frange côtière bénie des Dieux, Cannes occupe une situation privilégiée ; elle est, selon l'expression du docteur Gimbert, « une de ces stations de choix où la nature semble avoir fait halte pour s'y épanouir et faire ruisseler toutes les sources de la santé ».

C'est à Cannes que les praticiens romains établirent une ville de repos et de santé. Le flanc de l'actuelle avenue de Grasse, ainsi que le quartier des Vallergues et la base des collines de la Croix des Gardes et de la Californie, ont supporté les villas et les thermes des Romains fuyant la malaria de Campanie ou la tuberculose du Latium. Plus tard, l'Ecossais lord Brougham découvrit à son tour l'entité climatique de ce bourg de pêcheurs dont il ne cessa de proclamer qu'il était la providence des malades, et qu'il appelait un éden. « L'air de Cannes, écrivait en 1857 Margaret Maria Brewster, est prodigieusement imprégné de force et de joie, et il semble qu'à chaque inspiration l'on avale comme une gorgée de champagne. » Propos poétiques officialisés par un décret de 1915, qui consacra la cité de Cannes comme station climatique, et par un décret de 1919 qui la dota d'une chambre d'industrie climatique.

Mais pendant longtemps, nul ne pensa à mettre en valeur, conjointement aux vertus de son climat, la seconde grande richesse de Cannes, l'eau de mer. Et c'est ici qu'intervient une nouvelle carte maîtresse de la cité méditerranéenne, avec la présence d'un homme de science, animateur infatigable, qui s'est juré d'en faire un véritable foyer scientifique et d'attirer l'attention du corps médical international sur le patrimoine thérapeutique de cette station.

Le Docteur Georges de La Farge, Limousin d'origine mais qui fut assistant des hôpitaux de Paris et lauréat de la Faculté de Médecine avant de se fixer à Cannes, est un homme aux activités multiples, illustrant la parole célèbre : « Rien de ce qui est humain ne m'est étranger. » Praticien très connu à Cannes, ancien médecin-chef des Thermes à Berthemont-les-Bains après avoir été laryngologiste à la Bourboule, auteur d'un ouvrage sur l'acupuncture chinoise, animateur de groupes folkloriques, il amasse des documents pour écrire un ouvrage sur la gérontologie tout en terminant un livre sur la duchesse de Fontanges, le dernier amour de Louis XIV.

Après de longues expérimentations, le médecin cannois a mis au point l'Otoneurine, complexe amino-vitaminique employé avec succès dans la lutte contre certaines surdités qui, jusqu'ici, s'avéraient rebelles à tout traitement, sinon à l'intervention chirurgicale de la défenestration. En matière de cure thermale, le docteur de La Farge a publié une importante étude dans laquelle il attire l'attention sur le rôle du soufre en biologie et en thérapeutique [4]. « Médecins et étudiants réserveront un accueil enthousiaste à ce bel ouvrage», écrit le doyen Léon Binet dans la préface qu'il lui a consacrée.

4. *Le soufre thermal*, Ed. L'expansion Scientifique française.

Quand il étudia les possibilités encore insoupçonnées de sa cité adoptive, le Docteur de La Farge scinda le travail à effectuer en plusieurs étapes. A tous ceux qu'il intéressait petit à petit à ses projets, il citait la phrase du professeur Santenoise : « Il est indispensable, à côté de l'équipement physique et météorologique des stations, d'envisager une organisation permettant une étude méthodique et rationnelle des effets, d'une part, des divers facteurs climatiques considérés isolément, d'autre part, de leur interaction qui conditionne le rôle des divers micro-climats sur l'organisme. »

Pour le Docteur de La Farge, il faut sortir du demi-empirisme, ainsi que l'ont fait les médecins allemands et yougoslaves : avant toute application généralisée de la cure marine, avant toute création d'Institut marin, il convient de connaître à fond, dans leurs variations fréquentes, les vertus et les inconvénients du climat, cette « potion physiothérapique ».

En 1952, les efforts du praticien de Cannes aboutirent à la création de l'Institut Bio-Climatologique de Cannes, dont il est le secrétaire général : premier jalon de ces Thermes qui restent son objectif final, cet organisme était placé sous les auspices de l'Institut National d'Hydrologie et de Climatologie, ainsi que de la Faculté de Médecine de Marseille. A la place des lieux communs habituels, qui ne peuvent entraîner la conviction du corps médical, on allait pouvoir élaborer des arguments médicaux-scientifiques irréfutables.

Depuis cette année, et tout particulièrement depuis le mois de novembre qui vit l'achèvement d'importants travaux, la ville de Cannes est dotée d'un ensemble d'appareils constituant un Centre d'Enregistrement unique au monde.

Sur la terrasse du Palais des Festivals, une cabine aux murs nus et sévères, de quelques mètres carrés, abrite des appareils complexes et fort délicats. Il faut tout d'abord citer l'*ionomètre* inventé et installé par un grand spécialiste, l'ingénieur Godefroy, de la Recherche Scientifique. *Minute par minute, comme tous les autres appareils de cette cabine magique*, l'ionomètre enregistre l'ionisation atmosphérique, le graphique qu'il trace indique la teneur en électricité de l'atmosphère. Indication des plus précieuses puisque, d'après le professeur Laignel-Lavastine, « c'est en fin de compte la tension électrique qui caractérise un climat ».

« Et vous n'insisterez jamais assez, me dit le Docteur de La Farge, sur l'importance du climat en matière de thalassothérapie. La cure marine forme un tout indissociable. Si l'on néglige un des facteurs, on risque non seulement d'obtenir des résultats insuffisants, mais encore de commettre des fautes, et parfois des fautes graves. La thalassothérapie d'hier ne tenait guère compte que du climat, mais elle simplifiait le problème à l'excès : quand on étudie le seul climat de Cannes et des environs immédiats, on s'aperçoit qu'il se divise en une cinquantaine de micro-climats. En outre, toutes les données qui constituent le micro-climat d'un lieu déterminé peuvent changer plusieurs fois dans la même journée. Evitons donc que la thalassothérapie nouvelle ne tombe dans une autre erreur, qui consisterait à être obnubilée par l'eau de mer et ses dérivés, en négligeant par trop ces données climatiques essentielles. »

L'ionomètre a été complété, au Palais des Festivals, par

une série d'appareils mis au point par Monsieur Godefroy afin de former un tout. Leur rôle respectif est d'enregistrer le degré hygrométrique de l'air, la quantité des pluies, la température, la pression barométrique, la direction et la force des vents, le nombre des calories distribuées par le soleil, la quantité d'oxozone dans l'air.

Certains de ces appareils sont déjà utilisés par les stations de météorologie, mais seulement à des heures déterminées, alors que la station cannoise aura en permanence un bilan exact des éléments climatiques. En outre, une cabine a été aménagée à l'usage du public, au rez-de-chaussée du Palais des Festivals : grâce à des relais entre cette cabine et celle de la terrasse où se trouvent les précieux instruments, tous les renseignements météorologiques synthétisés sont à la disposition de chacun — médecin, touriste ou curieux.

Ainsi, méthodiquement, le Docteur de La Farge oriente toutes les activités dont il a été l'initiateur vers la création, à Cannes, d'une station de cure marine où l'on pourrait soigner vingt mille personnes chaque hiver. On y emploierait l'eau de mer chaude en bains et en douches, les boues marines, les aérosols marins, les injections, la cure de boisson d'eau de mer et même le pain à l'eau de mer. Comme dans toutes les cités touristiques, il faudra éviter d'attirer un grand nombre d'impotents et de lésionnels, auxquels il conviendrait de réserver, dans l'éventuel développement de la cure marine en France, des instituts décentralisés. La station de Cannes s'orienterait surtout vers le traitement de certaines affections rhumatismales, chroniques, gynécologiques et infantiles.

« Il faut aussi beaucoup penser, dit le Docteur de La Farge, à cette masse citadine dans laquelle tant de gens, pas encore malades à proprement parler, ne sont déjà plus des bien-portants, dont le système nerveux est à plat ou survolté, dont les grandes fonctions s'accomplissent mal. »

Certes, mon cas personnel m'inciterait tout particulièrement à me sentir solidaire des vrais malades, de tous ces êtres pour qui le mot de guérison prend un sens presque fabuleux. Mais d'après tout ce que j'ai vu et entendu dans le cours de cette quête de la santé, la masse des malades en puissance, des « fonctionnels », doit connaître les bienfaits de la cure marine.

A Marseille, un habitué des bains chauds de la Corniche me confia : « L'homme âgé que je suis a ressenti, après quelques bains, une sorte de bien-être, d'euphorie, comme s'il avait absorbé une eau de Jouvence ! Ce bien-être n'est pas factice, car il dure depuis longtemps. On constate une vigueur accrue, plus de goût à vivre, un comportement physique plus allègre. Outre cela, certaines infirmités mineures, comme les varices, disparaissent, les veines s'aplanissent et reprennent progressivement leur place, à fleur de peau, au ras des téguments, tandis que les chairs s'affermissent. »

Une personne beaucoup plus jeune, que j'avais rencontrée en cure, m'écrit six mois après : « Tout ce que j'ai pu vous dire à Roscoff a duré, même en progressant. Mais d'abord, je rappelle mon cas, comme vous me le demandez. Quand je suis arrivée là-haut, je ne connaissais pas l'Institut. Simplement désireuse de visiter la Bretagne, je venais au bord de sa mer pour essayer de récupérer un peu. J'avais l'impression d'être à bout, usée, pour tout dire une vieille femme, alors que j'ai 48 ans. Un accident de voiture assez grave, survenu quelques mois auparavant, avait sans doute contribué à empirer un état général déjà fort mauvais, surtout depuis que se liquidait assez mal la période de la ménopause.

« Dès mon arrivée j'entendis parler de l'Institut et appris qu'il y avait une piscine d'eau de mer chaude. Je pris une série de tickets pour, tout simplement, me baigner, les bains froids dans la mer n'étant pas à considérer. Ainsi, je discutai avec des curistes, ce qui m'incita à demander une consultation au Docteur. « Vous n'avez rien de lésé, me dit-il, mais une petite cure ne peut qu'avoir d'excellents résultats. » Ainsi j'entrai en traitement. Bains, massages et douches me firent un effet prodigieux. Il me semblait qu'après chacun j'avais perdu quelques années. Au bout de quatre séances, je dus m'arrêter : la circulation mal en point faisait de moi, en se rétablissant, une femme nouvelle. « C'est excellent, dit le Docteur : vous allez liquider normalement une ménopause défectueuse et vous vous sentirez, avec raison, plus jeune et mieux portante. » C'est très exactement ce qui est arrivé. Rentrée chez moi, je n'ai rencontré personne qui ne m'ait dit : « Que vous arrive-t-il ? On vous prendrait pour une jeune fille ! » Flatterie à part, il y a du vrai. Aussi étonnant que cela puisse paraître, je me sens mieux encore six mois pleins après mon retour, que je ne l'étais en quittant Roscoff. J'ai grand plaisir à vous en faire part. »

Au dossier des fonctionnels, je dois verser aussi un document fort intéressant par son origine. Il s'agit d'une lettre adressée du Vénézuela à André Mahé, à la suite de la publication de sa propre expérience [5]. Le signataire est un ancien combattant de la guerre civile espagnole, engagé dans l'Armée française en 1939, prisonnier des Allemands, évadé, et qui participa ensuite à la Résistance jusqu'à la fin de l'occupation.

« Jamais, dans ma vie hasardeuse et pleine de dangers et de privations, écrit-il, je n'ai ressenti le moindre malaise et ma santé a passé par des épreuves bien dures sans être ébranlée par la faim, le froid, le dormir à la belle étoile, les marches forcées par les montagnes pleines de neige. Mais voici que la vie a repris son chemin normal et, à l'âge de 48 ans, je ressens une fatigue presque continuelle, ma mémoire devient très faible. Mon poids normal de 75 kilogrammes a monté à 100 kilogrammes. Ma capacité sexuelle est presque nulle. Après les repas, je me lève de table engourdi avec une envie insurmontable de m'allonger. Mes reins, sans pouvoir dire qu'ils me font mal, sont toujours fatigués.

« Immédiatement après avoir lu l'un de vos articles, je me suis trasladé (sic) au bord de la mer, et j'ai commencé la cure de bains chauds. On pourrait dire que, dès le premier, j'ai remarqué les effets bienfaisants dans mon organisme. Au bout du troisième bain, ma fatigue était presque chassée. J'allais chercher moi-même l'eau de mer au large dans un petit bateau de poche pour remplir ma baignoire, ayant fabriqué un serpentin avec une tuyauterie de fer pour chauffer l'eau. Je n'aurais pas été capable d'accomplir

5. *Ma cure de rajeunissement*, Ed. du Seuil, 1956.

un tel effort auparavant. A la date où je vous écris, j'ai pris quatorze bains de mer chauds, et je peux vous assurer que je suis un autre homme. Ma paresse, ma faiblesse devant une besogne un peu dure, a tout à fait disparu. Mon cerveau est clair, et je prends plaisir à faire des projets. Je peux affronter la vie de nouveau sans découragement. Vous m'avez rendu l'espoir de pouvoir prolonger la période de ma vie utile. »

« *Homme libre, toujours tu chériras la mer !* »

Homme libre et cupide, homme libre et curieux...

Rechercher les trésors engloutis par la mer, récupérer les galions d'or qu'elle retient dans ses profondeurs a toujours passionné et passionnera toujours les hommes. Depuis les premiers âges, ils y emploient les plus héroïques et les plus magiques moyens. Et parfois les épaves, si enfouies soient-elles, rendent des métaux rongés par le sel, des amphores grecques pleines encore de vin, de cendres ou de monnaies, des squelettes fleuris de coquillages et devenus coraux...

Dans *le monde du silence*, autour des paquebots naufragés rôdent et rôderont toujours les grands curieux, les explorateurs des fonds inconnus. Et toujours l'esprit, le désir, l'émotion, le rêve de tous les accompagneront dans leur quête miraculeuse, à travers le film, le poème, le livre, le songe infini.

Mais de tous les trésors fabuleux que détient la mer, le plus précieux, le plus accessible, c'est encore cet homme qu'elle régénère, qu'elle recrée, pour peu que, filial, il s'abandonne à elle et lui fasse confiance.

ADDITIF DE 1963

I

LE BAIN ALGUÉ ET LA CURE

En 1956, quand j'écrivais ce long reportage vécu de la maladie arthritique multiforme et de sa guérison par les techniques bretonnes de la thalassothérapie, je disais, objectivement et prudemment, dans le chapitre intitulé *La post-cure* : « La question qui vient à l'esprit du lecteur à propos des guéris et des améliorés est celle-ci, que je me suis posée par souci d'objectivité autant que par intérêt personnel : Qu'advient-il de ce mieux, de cette guérison, après quelques mois ou quelques années ? Se maintiennent-ils ? et pour combien de temps, étant donné tel ou tel cas ? »

Le temps de penser, d'écrire le livre, m'avait offert quelques mois de recul. Ma correspondance avec les curistes connus à Roscoff m'avait, pendant ces mêmes mois, tenue au courant des progrès qu'ils continuaient à constater dans leur état, car le bénéfice de la cure est surtout sensible quelques semaines, quelques mois après son achèvement.

Mais nous voici en 1963. Six ans sont donc passés sur ma première cure, et la même préoccupation d'information et d'impartialité me pousse à faire à nouveau le point. Il va prendre plusieurs aspects.

D'abord, logiquement, je me dois de répondre à la question si souvent posée en ces six années sur ma propre santé : Elle est demeurée excellente. Mais j'ai refait, prudente, des cures d'entretien. Il ne faut jamais provoquer le diable ! et, chez moi, j'ai continué à prendre plusieurs bains algués par semaine, et même, aux moments de travail plus intense, c'est-à-dire de surmenage et de sédentarité plus sévères, d'en prendre un chaque soir, entre 38 et 40°, ce qui me vaut des nuits calmes, de vrai sommeil.

Je dois peut-être ici expliquer tout de suite la technique et les résultats du bain algué en eau douce, chez soi. Cela peut rendre, entre deux cures, d'immenses services aux souffrants, aux fatigués et même à ceux qui sont seulement sur la pente funeste. Dans l'eau de la baignoire à 40° en ce qui me concerne (mais chacun choisira sa température optima) je pétris longuement, sans les ouvrir, deux sachets d'algues bretonnes ou de boue d'huîtres du bassin d'Arcachon. On trouve les uns et les autres dans le commerce. Il est très important d'avoir des produits sûrs et d'origine, mais il est très facile de s'entourer de toutes garanties. Algues ou boues sont aussi efficaces dans mon cas. Je dirai pourquoi aussi clairement que possible, mais je n'en suis qu'à décrire le bain.

L'eau devient glauque et prend un fort parfum de mer. Si une articulation ou un point quelconque du corps est douloureux, « rouillé », il faut le masser, le frictionner avec le sachet même et, ce faisant, rester dans cette eau bénéfique pour y dissoudre sa fatigue. Un quart d'heure, vingt minutes, avec, au besoin, un ajout d'eau chaude, c'est ce qu'indiquent les Instituts marins et qui satisfait

le patient heureux. Il ne faut pas ajouter de sel à cette
eau car, au lieu d'une eau négative comme l'est celle de
la mer, on obtiendra une eau positive et, donc, des résultats contraires à ceux que l'on cherche. Il ne faut pas,
non plus, se savonner dans l'eau alguée, ni se frictionner
à l'eau de Cologne, l'alcool et le savon détruisant la réelle
vie de ces algues qui se gonflent dans l'eau et répandent
tout ce dont le corps las a si grand besoin. Il faut se savonner avant, afin que tous les pores soient parfaitement libres,
perméables au maximum.

Le bain pris, sans se sécher, il faut s'envelopper d'un pei-
gnoir chaud et se coucher, avec, si besoin est, une bouil-
lotte. Et se détendre, oublier ses soucis, finir par oublier
jusqu'à son corps. Le cœur qui, dans le bain, battait plus
fort, continue dans ce calme chaud. Une sudation très
intense s'ensuit ; une chaleur intérieure circule, un picotement excite la peau. Comme j'ai déjà dit : il est certain
que *quelque chose se passe* entre cette eau marine et le
milieu intérieur du corps humain immergé. Ce quelque
chose n'est pas dû seulement à la température de l'eau,
mais à sa composition comme on peut aisément en faire
la preuve en prenant un bain au même degré de chaleur
sans algues.

Ce *quelque chose* c'est l'élimination des toxines, de la
cellulite, de l'eau de fixation qui engorgent les tissus (et
dont l'afflux dans le torrent sanguin peut donner des nau-
sées qui sont plutôt un signe faste) et, d'autre part, l'apport
de sels minéraux, d'oligo-éléments, de vitamines dans l'organisme qui en est carencé. Plus l'élimination est intense,
plus les tissus rénovés et enrichis deviennent à même de

remplir leur office. La relaxation absolue du corps allongé y aide puissamment et elle est excellente pour le système nerveux — le végétatif en particulier, qui préside aux échanges inconscients. Plus la sudation dure, plus elle est abondante, plus il est clair que se poursuit le lessivage des tissus. On constate, du reste, que s'accentuent toutes les éliminations. La nuit qui suit un bain algué, prolongeant cette relaxation féconde, procure un sommeil véritablement réparateur. Il n'est, au réveil, que de se rincer à la douche tiède pour repartir vers la vie neuve [1].

Mon seul exemple serait insuffisant et pourrait laisser subsister des doutes chez le lecteur. Mais l'énorme courrier qui n'a cessé de m'arriver en ces six ans (curistes anciens et nouveaux, lecteurs, malades, guéris, améliorés de tous pays, observations cliniques auprès des médecins dans les divers Instituts marins de France et de Belgique, rapports me parvenant de ceux, lointains, que je n'ai pas pu visiter) tout un dossier tenu à jour, me prouvent clairement que je n'ai pas fait fausse route ni enseigné aux autres, mes semblables, une source tarie ou même intermittente.

Le fait de pouvoir faire l'inter-cure chez soi, avec les algues et les boues préparées, desséchées ou stabilisées que l'on trouve dans le commerce depuis mon premier traitement à Roscoff en 1956 et la parution de mon livre en 1957, est réellement important et constitue une preuve

1. Je dois signaler le bien que fait aux enfants le bain d'algues. On emploie pour eux des sachets réduits que l'on trouve facilement dans le commerce. Donné le soir, le bain calme l'enfant nerveux, le fait dormir, réduit ses allergies et guérit ses bobos.

éclatante. Toutefois, ce n'est qu'un appoint qui soulage, allège, repose, tonifie, mais en attendant le traitement rationnel, énergique, adapté par les médecins à chaque cas particulier et qui se poursuit sous contrôle tout le temps que dure la cure.

J'ai assez expliqué en quoi elle consiste. Elle n'a pas changé ses techniques en ces six ans. Ce que je dois redire à mes correspondants c'est qu'elle doit durer trois à quatre semaines. En effet, il faut au malade une adaptation au milieu marin (surtout s'il vient de l'intérieur des terres et subit donc un choc plus fort). Ensuite il faut admettre que bains chauds, sudations intenses au thermo-lumineux, massages, douches, jets, applications de boues marines chaudes, gymnastique rééducative fatiguent assez le patient et le fatiguent d'autant plus qu'il est plus atteint et a plus à faire, plus à éliminer de déchets pour guérir. De plus, le traitement réactive *toujours* tous les symptômes. On souffre, donc ; parfois l'espoir faiblit et, de perdre un peu de courage, nuit forcément au bénéfice tant attendu du traitement. Car, je ne saurais trop le répéter : c'est le moteur intérieur qui commande. Le puissant afflux de déchets qui, à ces réactivations de douleurs, ajoute les siennes, est cause d'une lassitude souvent nauséeuse qui peut vous obliger à vous reposer quelques jours. Ces douleurs, ces malaises sont d'autant plus gênants et forts qu'on est resté plus longtemps entre deux séjours à la mer. C'est à peu près vers le dixième jour que se produit la réaction de cure. Elle s'accompagne toujours de lassitude, d'asthénie, quelquefois de température. Il ne faut pas se laisser déprimer par ces phénomènes. Au contraire, car ils sont justement la preuve que l'organisme réagit, donc, que le terrain s'améliore et que, dorénavant, il se défendra mieux.

Se reposer, interrompre le traitement pendant quelques jours, retrouver la confiance et l'euphorie en respirant l'air salin, les vents, les embruns et buvant le soleil, se faire une âme et un corps vacanciers, cela aide à la cure, loin de lui nuire, mais oblige à prolonger le séjour du curiste. Mieux encore : lorsque le docteur décide d'arrêter le traitement, il vous conseille, dans la mesure où ce complément est possible à chacun, de vous reposer, en vraies vacances cette fois, pour vous réadapter à une vie de bien-portant normale, mais sous sa surveillance qui, bien que relâchée, lui permettra de déceler chez vous les réactions tardives qui pourraient se produire, et d'y parer, pour votre plus grand bien. Car chaque individu a ses réactions propres, son état de santé particulier, son tempérament, son humeur — bref, son spectre interne et externe, et à chaque cas il faut bien que s'adapte le médecin.

II

LES INSTITUTS MARINS
ET LES CONGRÈS

Outre tous les Instituts que j'ai cités au cours de mon livre, outre celui de Roscoff, le premier créé et longtemps le seul en France, outre tous ceux qui fonctionnaient déjà en Italie, à Ostende, dans l'Europe centrale, et en Allemagne surtout, plusieurs se sont, depuis, ouverts un peu partout sur la Manche, sur l'Océan et sur les rives bleues de la Méditerranée, pour ne parler que de la France. Beaucoup d'autres sont en projet. Ils ressembleront à ceux qui existent déjà, dont je donnerai tous les types.

Par le jeu des micro-climats qui modifient si subtilement l'atmosphère, son électricité, ses effluves originaux, tel ou tel Institut convient mieux à tel malade ou tel autre. Les docteurs qui savent cela (comme je l'ai appris et développé dans ce livre grâce au savant et si regretté Docteur de la Farge) conseillent leurs clients et les orientent en sachant pourquoi, vers Roscoff, Trouville (où l'Institut est installé dans le casino), Paramé récemment ouvert, ou sur la Méditerranée : Saint-Raphaël, Marseille, Nice, Hyères, Collioure et quelques autres que j'ai déjà cités ou qui se sont ouverts, depuis, ou enfin, devers Arcachon, à Gujan-

Mestras où se donnent les bains de boues ostréi-marines.

Pour faire le point des réalisations en matière de thalassothérapie, après avoir constitué un fichier de malades anciens d'après leurs visites ou leurs lettres, j'en ai constitué un autre en m'adressant aux médecins des principaux centres où, successivement, je me suis documentée, y faisant ma cure d'entretien annuelle. Je ne peux faire mieux que de transcrire les renseignements qu'ils ont bien voulu m'envoyer, eux, les savants et les traitants, dans un même but évident : faire la lumière sur la question en toute connaissance de cause pour aider à ma mise à jour, c'est-à-dire venir en aide, fraternellement, à qui souffre en indiquant ce qu'on peut espérer et comment le réaliser.

1. CONGRÈS DE THALASSOTHÉRAPIE DE CASSIS
septembre 1957

Dès septembre 1957, quand venait juste de sortir des presses ma contribution vécue : *La Mer qui guérit*, un premier congrès se tint à Cassis. Ce qu'on y dit corroborait ce que j'avais appris des praticiens bretons et expérimenté chez eux. Les conditions climatiques du lieu, si favorables à la création d'un centre, y furent examinées minutieusement par le Docteur Agostini, maire de Cassis, qui concluait après vingt-cinq ans d'observations et de métier : « ... Ce qui m'a frappé, dès mes premières années d'exercice médical à Cassis, est la rareté des affections osseuses (mala-

dies qu'il avait spécialement étudiées avec le Professeur
Léon Bérard). Les résultats que j'ai vérifiés m'ont permis
de dire que le climat de Cassis est essentiellement actif et
bienfaisant dans ces affections. Les résultats que j'ai enre-
gistrés dans la Maison d'Enfants, avec plusieurs centaines
d'observations, démontrent que ce climat convient aux
scrofuleux rachitiques, aux affections osseuses torpides,
dans les tuberculoses autres que pulmonaires et, en général,
à tous les ralentis de la nutrition. »

Le Docteur de la Farge, ancien médecin-assistant des
hôpitaux de Paris, secrétaire général de l'Institut de Bio-
climatologie de Cannes, hélas décédé depuis, y définissait la
thalassothérapie, décrivait son évolution à travers les âges,
affirmait son importance primordiale pour la science médicale et, citant tout d'abord la célèbre théorie de René Quinton résumée en cette phrase : « L'eau de mer constitue le
milieu originel où est apparue la première cellule vivante »,
passait en revue les différents agents de cette prometteuse
thalassothérapie. D'abord l'eau de mer, gigantesque réservoir d'eau minérale, et la première, c'est-à-dire un milieu
vital naturel et non une simple solution aqueuse polysaline.
Le compte rendu dit : « De l'eau de mer on peut tirer un
grand nombre de produits qui constituent de précieux
médicaments : eaux-mères obtenues par évaporation progressive de l'eau de mer, boues et algues marines, sable
marin, limans retirés des lacs salés avoisinant la Mer Noire.
Avec l'eau de mer et tous ces produits on peut réaliser des
bains classiques froids, des bains de mer chauds, des bains
de boue, des bains d'algues, des bains de sable dont l'efficacité permet de faire la cure marine intégrale (balnéation

marine, fangothérapie, algothérapie, psammatothérapie).
Mais la thalassothérapie englobe aussi l'utilisation du climat marin dont deux composantes essentielles sont l'atmosphère marine et la lumière solaire. Le curiste qui se
trouve sur le rivage, peau nue, c'est-à-dire en contact
intime avec le milieu environnant, absorbe les aérosols
marins et reçoit les rayons ultra-violets que le soleil lui
envoie directement et ceux que la mer réfléchit intensément. » Le docteur de La Farge signalait ensuite les bienfaits du plein vent chargé d'embruns, d'iode, d'oligo-éléments, spécialement pour certains malades auxquels les
exercices physiques sont interdits, et qui ont besoin, malgré
cela, d'une stimulation importante.

Inutile de dire que nos côtes méditerranéennes permettent la cure *mer*, *air*, *soleil* en toute saison. C'est l'avantage
des établissements de cure comme Saint-Raphaël (filiale de
Roscoff) et de Collioure qui, sous cette devise, peuvent
« tourner » toute l'année et offrent au-dehors, dans les criques et sur les plages, des abris idéaux, ventilés et ensoleillés,
à ceux qui, mollement et bienheureusement, y complètent
dans le repos, la cure et les soins médicaux de l'intérieur.
Comme le faisait remarquer le savant orateur qui s'ap-
puyait sur la science et l'expérience, là se traitent efficacement, par les bains de mer chauds dûment organisés, et
par le milieu ambiant, « la plupart des rhumatismes chroniques ; thermalité et minéralisation agissent de concert
pour le plus grand bien des malades. Les affections gynécologiques y trouvent des remèdes très efficaces, de même
certaines dermatoses, dont la psoriasis. Enfin, un grand
domaine où la thérapeutique marine obtient des résultats

spectaculaires, c'est la médecine infantile : diathèses héré-
ditaires, lymphatisme, manifestations respiratoires et ganglionnaires, rachitisme, allergies, neuro-arthritisme pour
lesquels la cure marine remporte des succès remarquables. »

Au sujet de la médecine infantile, et en dehors des communications faites à Cassis et ailleurs, j'ai reçu de Belgique un compte rendu éloquent venant après de longues
observations dans un home d'enfants, semblable à celui de
Bretagne que j'ai longuement décrit dans mon livre. Je cite
celui-ci qui corrobore le mien. « Parmi les enfants d'âge
scolaire on a constaté qu'un très grand nombre, pour ne
pas dire la majorité, sont soit déjà atteints d'une déviation
quelconque des membres ou du tronc, soit insuffisamment
développés, et que leur manque de résistance les désigne
comme une proie facile pour toutes les déviations si fréquentes à l'âge scolaire : pieds plats, genoux cagneux, lor-
dose, dos rond, scoliose, insuffisance respiratoire, etc. Enfin
certains enfants sont déficients, chétifs ou malingres. Le
home d'enfants a organisé, sous le contrôle d'un médecin
orthopédiste, un service de kinésithérapie qui fonctionne
quotidiennement pour les enfants en séjour pendant les
trimestres scolaires. A son entrée chaque enfant est examiné, ses défauts dépistés, le traitement adapté. Les avantages sont physiques et moraux : mer, gymnastique, correc-
tion appropriée des défauts, mais aussi conscience chez
l'enfant de ce qu'on fait pour lui, intégration joyeuse à
un groupe de déficients comme lui qui l'épaulent, le valo-
risent, lui rendent confiance et assurance, l'aident à retrouver une volonté efficace, guérissent en lui le complexe si

pénible d'infériorité. » Cet exemple n'est pas unique. Des quantités de maisons pour enfants jalonnent les côtes, et je l'ai déjà dit, Hyères s'est toujours spécialisé dans ces cures, soignant les malades, les déficients et maintenant les bien-portants en belle forme.

2. CENTRE DE COLLIOURE

Au début de 1959, à Collioure (Pyrénées-Orientales) s'ouvrait un centre hélio-marin de réadaptation fonctionnelle qui, sous la formule *mer, air, soleil*, admirablement installé, entreprit de soigner, avec une équipe de spécialistes, tout ce qui relevait de l'eau de mer chauffée.

J'ai été parmi les tout premiers clients de la maison où, dans ma quête documentaire, je retrouvais un Roscoff du sud. Le dépliant indique :

Toute l'hydrothérapie est réalisée par l'eau de mer chauffée soit en piscines à plancher réglable, en douches, en hydromassages, en massages sous l'eau, en bains de mousse, en bains locaux, en application de compresses d'eau de mer (34 à 44°).

INDICATIONS THÉRAPEUTIQUES :

Neurologie : hémiplégiques, paraplégiques, séquelles d'encéphalopathies, polynévrites, paralysie des nerfs périphériques.

Rhumatologie : arthrites infectieuses ou chroniques, ankyloses, spondylarthrite, spondylose rhizomélique, arthroses.

Traumatologie : séquelles de fractures, luxations, contusions avec déficience motrice.

Troubles vasculaires et sanguins : Anémies, artérites, séquelles de phlébite.

Endocrinologie : Troubles de la nutrition, états lymphatiques, rachitisme, obésité, cellulite.

Convalescences : Asthénie, adynamie, sénescence.

Rééducation analytique : Mobilisation active et passive par divers appareils (arthro-moteurs, patins du Professeur Leroy, appareils pendulaires), poulithérapie, déambulation (rééducation de la marche), gymnastique générale, vertébrothérapie, rééducation analytique, ergothérapie, massothérapie.

Après avoir fait deux cures d'un mois et demi à Roscoff, en 1956 et 1957, j'ai été heureuse de faire la troisième (celle-ci, d'entretien) sur la Côte Vermeille qui me donnait de la chaleur et du soleil, si elle m'ôtait les granits. Les algues de Bretagne, je les y retrouvais en sachets, comme à Roscoff, comme chez moi où, déjà, j'en usais dans l'intercure, en baignoire. Littéralement, ici comme là-haut, je perdais les poisons de l'auto-intoxication dus à ma nature arthritique et à mon métier sédentaire. D'autres malades, d'autres convalescents, d'autres prudents, relevant qui de l'une, qui de l'autre des disciplines thérapeutiques de Collioure, y retrouvaient, y retrouvent encore l'allégement, la santé, l'euphorie.

Dans mon zèle à me tenir au courant, je reçus plus tard avec joie le tiré à part du journal des *Journées Françaises de Médecine Physique* où les médecins de Collioure avaient, en avril 1960, publié leurs premiers résultats. Ils étaient plus qu'encourageants dans tous les cas envisagés et le traitement était minutieusement décrit. Rhumatismes dégénératifs (que je connaissais par expérience), périarthrites, séquelles neurologiques d'origine rhumatismale étaient soignés comme à Roscoff. La brochure disait : « Le problème du traitement de ces différentes affections pose des conditions propres à leur localisation ou à leur origine, mais la ligne de conduite générale reste la même : récupération fonctionnelle d'une part ; lutte contre le processus rhumatismal d'autre part. Dans le cadre du traitement nous utilisons les éléments classiques de la rééducation fonctionnelle, à savoir : les massages, la mobilisation à sec ou dans l'eau, la mécanothérapie, la pouliethérapie, la thermothérapie sous forme de rayons ou de courants, la physiothérapie, toutes thérapeutiques qui présentent un intérêt bien connu dans les affections rhumatismales. Nous laissons volontairement de côté cette participation thérapeutique pour ne parler que de l'action thalassothérapique. » Et ils exposaient de nouveau les actions combinées de la kinébalnéothérapie, de l'hydrothérapie et du climat marin. Ils parlaient de nouveau de l'eau de mer milieu vivant et la première des eaux thermales, parce que complète : « la seule eau véritable du globe, par définition ». Ils redisaient ce que Roscoff m'avait dit : « Cette eau de mer est une eau chlorurée sodique forte et chloro-sulfatée forte, d'une richesse chimique telle qu'elle contient tous les corps connus, au moins à l'état de traces constituant les oligo-éléments dont nous connaissons l'intérêt en rhumatologie. En même temps, cette eau de mer, milieu vivant puisque contenant un ensemble de micro-organismes et de végétaux-animaux en suspension, permet la production de cycles cataboliques qui confèrent à ce liquide les qualités qui peuvent l'assimiler à un milieu vital naturel, à un véritable plasma désalbuminé, image même du plasma humain, dans des conditions d'isotonie, bien entendu. »

Suivaient tous les effets de la cure sur le débit cardiaque, la pression artérielle, le métabolisme basal, les réactions d'élimination de l'acide urique, les modifications de la glycémie, et, fait des plus intéressants, l'absorption par la peau des éléments contenus dans l'eau de mer, la différence d'état électrique entre l'eau et l'être vivant, donc la voie transcutanée de pénétration suivant les lois de l'électrolyse et de l'osmose.

Le Docteur Bagot me l'avait déjà enseigné, et Collioure, à nouveau, en faisait la démonstration. Ses docteurs constataient aussi la régulation du système neuro-végétatif, donc la reprise du sommeil, de l'appétit, des fonctions générales que les rhumatisants perdent en souffrant des mois, si ce n'est des années. On ajoutait au traitement, ici comme là-haut, et selon les besoins, des injections de plasma de Quinton et l'eau de mer diluée aux repas.

En dix-huit mois seulement d'exercice, des cas de guérison et d'amélioration donnaient, ici comme là-haut, énormément d'espoirs — qui, depuis, ont été tenus. Le rapport se terminait par ces mots émouvants de simplicité : « Nous voudrions dire que les améliorations constatées dans les cas particuliers décrits ici ont été générales pour l'ensemble des malades traités et relevant de la même étiologie rhumatismale. »

3. INSTITUT MARIN DE SAINT-RAPHAEL

Ma quatrième cure, je l'ai faite à Saint-Raphaël, sur la côte d'Azur, pour me documenter sur ce nouveau centre traitant à l'eau de mer chauffée. Il s'est ouvert au printemps 1960 sur le modèle de Roscoff. Sa mer, sa magnifique mer, n'a pas de marées, donc pas de prairies d'algues découvertes aux basses eaux. Mais elle a les siennes, quand même, et les sachets d'algues bretonnes que l'on triture en ses baignoires lui donnent à peu près la composition des eaux de Roscoff. Car cette côte a ses granits : les Monts des Maures, le massif du Tanneron, la Corse et le plateau sous-marin qui les joint.

Si Collioure a fait plus de place aux rééducations après maladies et traumatismes entraînant des paralysies ou tout au moins des diminutions motrices, Saint-Raphaël reste centré, comme Roscoff d'où il est né, sur toutes les formes d'arthritisme et de cellulites. Son équipement et son personnel sont, là aussi, absolument parfaits et extrêmement efficaces. On y soigne par tous les moyens qu'offre l'hydrothérapie marine chaude et froide, sous forme de bains hyperthermiques, douches (au jet, sous pression, filiformes), douches vaginales, massages, nage en piscine chaude, applications de boues marines chaudes, seules ou mêlées d'algues, sauna marin, aérosols d'eau de mer, bains de lumière, électrothérapie, gymnastique (générale, corrective, localisée, respiratoire, etc.). Des douches filiformes traitent pyorrhées et gingivites, des aérosols, les affections de la gorge et des sinus.

Son éventail de maladies traitées comprend, comme Roscoff et les nombreuses stations allemandes, les affections du squelette : rhumatismes chroniques, infectieux, évolutifs, arthroses, séquelles de fractures ou d'interventions osseuses, d'entorses graves, cellulalgies. L'eau chlorurée sodique forte est bénéfique en gynécologie (annexites chroniques, para et péri métrites, états congestifs, dysménorrhées). Les Allemands ont aussi prouvé son intérêt dans les affections chroniques des sinus, les rhinites chroniques. Le Docteur Weisbrodt, dans les catarrhes des voies aériennes supérieures et inférieures.

Dans les déficiences infantiles, les malformations, les états d'épuisement et de vieillissement, la mer, ici comme partout, sous des techniques éprouvées et la surveillance attentive des praticiens spécialisés fait merveille.

Et ici comme ailleurs, les contre-indications sont les maladies infectieuses aiguës, celles inflammatoires des reins et des voies urinaires, certaines tuberculoses pulmonaires (l'excitation de la circulation produisant divers accidents), les abcès pulmonaires, les états consécutifs aux interventions thoraciques, les maladies mentales, les psychopathies, les affections décompensées du cœur et de la circulation.

Pour mon enquête en vue de la mise à jour de la thalas-sothérapie, j'ai demandé au personnel directeur son opinion sur ses propres résultats. Il termine son rapport, fin 1962, par ces mots — les mêmes que j'ai entendus à Roscoff, à Collioure, à Ostende : « Pour nos résultats, l'on peut considérer, après deux ans et demi de recul, que nos réussites les plus nettes sont obtenues dans le traitement des lombalgies, des lombo-sciatiques, des dorsalgies et des cervicalgies. En un mot, les atteintes arthrosiques, ou plus généralement rhumatismales de toute la colonne vertébrale. Nous avons dans ce domaine des résultats surprenants. Je peux vous citer de très nombreux cas où les malades ont pu, quelquefois en cours de cure, le plus souvent dans les mois qui suivent, abandonner leur lombostat et mener une vie normale, comme il vous est si heureusement advenu à Roscoff. Personnellement, je crois que ces résultats, quelquefois si spectaculaires, ont une double origine : d'une part l'action spécifique topique et calmante de l'eau de mer, d'autre part son action rééquilibrante sur l'état général. Ces affections de la colonne atteignent souvent très profondément l'équilibre psycho-somatique de ceux qui en souffrent.

« Il faut souligner aussi la double action de l'eau de mer chaude dans les suites de fractures. Elle a une action circulatoire très nette sur les œdèmes si importants et si gênants que l'on trouve au niveau des fractures et surtout des articulations proches du foyer des fractures. Ceux-ci diminuent avec une rapidité qui nous étonne chaque fois. C'est, je crois, par ce mécanisme, que nous guérissons les entorses en deux ou trois jours.

« Son action calmante sur la douleur permet des mobilisations actives et passives, plus précoces, plus importantes des membres blessés. Et tout ceci nous donne, en rééducation, des possibilités de traitement très larges et des résultats souvent surprenants. »

J'ai donné les textes mêmes des lettres et des rapports des médecins de centres de thalassothérapie récents, afin que l'on puisse constater chez tous les mêmes résultats, les mêmes explications, les mêmes espoirs de faire encore mieux, car tout n'est pas trouvé encore des possibilités curatives de l'eau de mer.

4. CENTRE DE MARIAKERKE-OSTENDE
Journées d'études sur la cure marine
(26-27 mai 1962)

Ces journées d'études comportaient quatre questions étudiées par les plus grands spécialistes européens. « Les congrès de thalassothérapie ont, en effet, toujours été le carrefour des grands noms de la médecine, venus des disciplines les plus diverses. » Les thèmes de celui-ci étaient : Affections nerveuses, scoliose de l'adolescence, arthroses et arthrites, séquelles de fractures. Ces thèmes, nous les avons vu développer dans tous les rapports précédents. On y évoqua le traitement : algues marines, bains chauds algués associés aux antibiotiques dans des cas de sclérose en plaques, en admettant qu'il faut des années d'analyses et d'ob-

servations pour tirer une conclusion valable. Mais on peut
parler de soulagement et de meilleure mobilisation sous
l'eau (Docteur Le Caq).

Nous savons déjà que la mer corrige les scolioses des
adolescents et il est inutile de répéter les mêmes choses.
(Docteurs Cagny et Delcroix). De même en ce qui concerne
les arthroses et les arthrites (professeur Della Torre, hôpital marin du Lido à Venise) et le rhumatisme (Docteur Van
Praet). Pour les séquelles de fractures, jusqu'ici à peine
évoquées, les Docteurs Delcroix et Beckers ont publié ceci
dans la brochure résumant le congrès : « Le pouvoir de la
thalassothérapie d'exciter l'ostéogenèse est connu depuis
fort longtemps. Tous ceux qui ont visité des Centres hospi-
taliers à la mer y ont trouvé des blessés venant y chercher
la consolidation de leurs membres. » Ils l'y trouvent d'ailleurs, eussent-ils, préalablement, découragé les chirurgiens
de terre. Le Docteur Delcroix cite des exemples frappants.
Quoi d'étonnant ? « Quelques observations sont, dit-il, fermement acquises : la mer est un réservoir inépuisable où
l'organisme trouve pratiquement tous les éléments minéraux dont il a besoin. De plus, les phénomènes métabo-
liques des organismes qui la peuplent y maintiennent constamment une charge électrique négative. Des chercheurs
français ont attribué, depuis un demi-siècle environ, une
grande influence à cette charge électrique » (...) « La supériorité de la chaleur humide dans le traitement de ce genre
de fracture et notamment de la rééducation en hydrogym-
nase en est une notion importante qui tend à être admise
de plus en plus. Nous avons eu l'impression que l'eau de
mer chaude accentue nettement cette influence, probable-

ment par sa plus grande densité, mais surtout par ses effets spécifiques. »

Ce rapport pourrait être celui de tous les Centres qui soignent les fractures et tous les accidents osseux. Sa conclusion, très nette, est également générale. « Le rôle de la thalassothérapie, et notamment de l'eau de mer, nous paraît important pour vaincre les complications de fractures et réadapter le membre fracturé à sa fonction.

« Il en résulte une nette accélération dans la rééducation fonctionnelle, qui atteint son maximum dans certaines complications graves, et un abaissement très sensible de l'incapacité définitive.

« Il nous paraît que dans le traitement du syndrome de Sudeck l'eau de mer est la thérapeutique de choix.

« Les conséquences sociales qui en découlent sont donc d'une très grande importance et doivent être méditées par tous ceux qui se penchent sur la récupération du malade et son reclassement dans le cycle d'activité. »

Or, le Docteur Delcroix qui dirige avec quelle extraordinaire équipe, les trois vastes Etablissements marins de Mariakerke-Ostende, sait de quoi il parle ! « Si notre expérience de la Cure Marine est vieille de 66 ans, celle que nous avons de l'eau de mer remonte à 1926, année où fut construite notre première piscine. De 1928 date le début des actino-marins. Enfin en 1953 fut aménagée une installation subaquatique répondant aux exigences modernes, comprenant notamment des baignoires de Hubbard et un hydro-gymnase avec l'équipement subaquatique adéquat : tables et chaises spéciales, barres parallèles, T mobile, etc. Notre statistique de rééducation postopératoire articulaire comporte une grande variété de cas, et compte aussi bien nos propres opérés orthopédiques que des malades dont la rééducation fonctionnelle nous est confiée après intervention chirurgicale dans d'autres services. (...)

« Nous estimons que la gamme des interventions chirurgicales pouvant bénéficier heureusement d'une rééducation articulaire postopératoire en milieu marin est très étendue. Nous nous permettons d'attirer l'attention sur quelques indications qui nous semblent dignes d'intérêt : les raideurs poly-articulaires des grands opérés et grands accidentés longtemps immobilisés, des personnes âgées, des paraplégiques chez lesquels il a été possible de supprimer la compression médullaire, (état général altéré), l'immobilisation platrée postopératoire, les arthroplasties, les interventions articulaires ne modifiant pas d'une manière appréciable les dispositions anatomiques des articulations (ménicectomies) et osseuses juxta-articulaires (ostéotomies diverses) y ont un intérêt évident. Il est de règle de récupérer le jeu articulaire préexistant si la fonction n'est pas perdue depuis trop longtemps. Ce délai est variable suivant les malades. La raideur devient définitive en douze à dix-huit mois.

Les traumatismes nous semblent particulièrement intéressants : possibilité après ostéosynthèse, enclouage, de pratiquer une mobilisation précoce sans danger avec effet favorable sur la calcification, et risque atténué d'adhérences musculo-aponévrotiques et de cal hypertrophique avec tonification musculaire diminuant l'atrophie.

Chirurgie plastique autour des articulations : rappelons l'effet assouplissant sur les téguments de l'eau de mer et en particulier des actino-marins.

Les ténotomies et allongements tendineux des poliomyélites, des myopathies, etc, ayant pour but d'augmenter le mouvement articulaire.

Les transplantations tendineuses de la poliomyélite et des lésions traumatiques des nerfs périphériques sont systématiquement rééduquées en eau de mer dès que la cicatrisation le permet. La fonction nouvelle des muscles transplantés est ainsi éduquée dans des conditions idéales. La formation d'adhérences est réduite au minimum. Il convient cependant de noter que si la liberté articulaire est limitée par une rétractation articulaire, cet obstacle doit être éliminé avant de transplanter.

Particulièrement intéressant nous paraît le traitement des raideurs articulaires compliquées avec séquelles postopératoires : maladies de Sudeck — plaies atones — pseudarthroses, retards de consolidation et ostéomyélites. Nous n'hésitons pas à faire des applications locales d'eau de mer ou même à immerger des membres fistulés, qu'il s'agisse d'infection banale ou du staphylocoque doré, bien entendu dès que les manifestations générales ont disparu ou, du moins, se sont considérablement atténuées.

Par contre, ce n'est qu'à titre exceptionnel qu'il nous est arrivé d'utiliser l'eau de mer dans les ostéo-arthrites tuberculeuses, pour drainer des fistules surinfectées. Nous pensons qu'il convient d'être extrêmement prudent dans la mobilisation subaquatique postopératoire, tout particulièrement si la maladie est encore évolutive. »

En conclusion, les médecins spécialisés de Mariakerke-Ostende résument leur rapport, disant que les avantages certains de la cure marine dans les cas examinés, en ce qui concerne la rééducation postopératoire au bord de la mer, sont : la confiance et l'indépendance rendues aux malades, le seuil de la douleur nettement plus élevé, une gradation plus étendue et plus souple de la mobilisation, une action bénéfique très nette sur les engorgements des parties molles.

Ce sont les mêmes cas typiques qu'ils ont présentés au Congrès de Thalassothérapie de Venise en mai 1963, congrès qui réunissait de nouveau les plus grands maîtres actuels d'Europe venus de tous les horizons.

5. CONGRÈS DE THALASSOTHÉRAPIE DE VENISE
23 au 25 mai 1963

1er *thème : L'homme âgé et le climat marin.*

PROFESSEUR GREPPI (Italie) : *A l'âge présénile :* L'auteur divise les sujets en deux catégories. Les florissants, vigoureux, hypersténiques pour lesquels un séjour à la mer est — comme chacun sait — toujours bénéfique, et d'autre part les maigres, dyspeptiques, moins adaptés à la mer et à l'effort physique qu'elle entraîne (exception faite des cas de pathologie respiratoire ou rhumatismale).

A l'âge sénile : L'indication marine est dominante pour grand nombre de bronchites chroniques ainsi que pour les malades atteints d'arthritisme. Cependant une organisation technique et sanitaire plus avisée (par exemple les Instituts de traitements marins) serait certes précieuse en maints endroits qui, jusqu'ici, n'ont guère connu que des régimes empiriques.

Deux conditions sont à distinguer : celle des personnes vivant au bord de la mer et celle des personnes transposées pour des raisons diverses dans les régions côtières.

Contrairement à certaines croyances, l'immense majorité des sujets a fort bien supporté le séjour à la mer — notamment les malades porteurs de tares pathologiques, atteints de rhumatismes chroniques inflammatoires ou d'une tare vasculaire. De plus, il ressort de l'enquête que le séjour fut particulièrement bénéfique sur un certain nombre de facteurs intéressant la condition générale des sujets étudiés.

PROFESSEUR PLAVCIC (Yougoslavie) : Il combat l'opinion ancienne que la mer serait contre-indiquée pour l'homme âgé. L'action du climat marin se traduit surtout par la normalisation de la tension artérielle et l'augmentation de la potentialité des fonctions végétatives.

PROFESSEUR PFEIDERER (Allemagne) : Il s'attache surtout à étendre les causes du vieillissement prématuré qui doit être jugé comme un processus pathologique. La thalassothérapie dispose de nombreuses possibilités permettant d'influencer l'organisme qui vieillit prématurément. Celles-ci agissent tout d'abord sur la peau. La peau atrophiée de l'homme âgé reçoit des impulsions violentes des facteurs thermiques et actiniques qui provoquent une régénération de cet important organe endocrinal. La combinaison de la stimulation métabolique et du ménagement de la circulation, en ce qui concerne le climat marin, fournit des possibilités thérapeutiques typiques en gériâtrie.

PROFESSEUR DINCULESCU (Roumanie) : Il étudie l'évolution de la tension artérielle chez les personnes âgées après une cure sur le littoral roumain de la Mer Noire. Celui-ci se traduit par des baisses de tension plus nettes chez les personnes ayant utilisé à la mer des applications chaudes que celles ayant utilisé des applications froides.

2° *thème : La rééducation postopératoire au bord de la mer.*

Les rapporteurs : Professeur Debeyre, Docteur Giret, Docteur Bernet, Docteur Pieri de France, Professeurs Marconi et Mirabella d'Italie, Docteur Strinovic de Yougoslavie, Docteurs Olteanu, Popescu, Popisteanu, Sufana, Climescu, Lupu, Jacob de Roumanie, et les Docteurs Ed. et A.J. Delcroix d'Ostende, présentent des cas variés, communiquent des milliers d'observations et de résultats, et leurs conclusions sont celles du Docteur Delcroix et du personnel médical d'Ostende, déjà données ici à propos du Centre de Mariakerke-Ostende.

3° *thème : Le traitement en climat marin de la pelvi-péritonite tuberculeuse.*

Les rapporteurs : Professeur Dalla Torre et Docteur Grandosso d'Italie, Novak de Yougoslavie, Coga de Roumanie, Pieri de Marseille, Cabanel d'Alger et de Grenoble, Aimes de Montpellier exposent de même les cas observés et suivis dans leurs établissements marins. Les trois de Venise sont, avec ceux d'Ostende, parmi les plus remarquables. Les traitements y combinent tous les éléments de la thalassothérapie que nous connaissons déjà : eau de mer, air marin, climats et micro-climats associés dans certains cas au traitement par antibiotiques « où l'on obtient, concluent-ils, les résultats les plus éclatants et les plus durables ». Le rapport du Professeur Leroy (France) classant les micro-climats en se basant sur des données précises, notamment sur le climatographe de Deleauture, a frappé fortement et retenu l'attention du Congrès, ainsi que le film avec commentaires de Madame Triboulet, exécuté par le Professeur Fèvre de Paris, sur : *La natation correctrice des déviations vertébrales de l'enfance et de l'adolescence.*

Cette étude a été exécutée comparativement en eau douce dans une piscine de la région parisienne et dans une piscine d'eau de mer. On constate, dit le rapport, « d'une façon extraordinaire, les différences qui se matérialisent comme suit :

en eau de mer :

a. position beaucoup plus horizontale.

b. mouvements moins désordonnés.

c. déroulement beaucoup plus complet du rachisme ».

III

LA FANGOTHÉRAPIE

Il existe depuis quelques années une nouvelle thérapeutique à base marine : la fangothérapie, elle aussi particulièrement efficace dans toutes les séquelles arthritiques et arthrosiques. Elle consiste en bains ou applications de boues marines chaudes. Les résultats qu'elle obtient sont remarquables.

L'Etablissement de Gujan-Mestras près d'Arcachon (Gironde), le premier français en date, sans doute, soigne depuis 1957, au moyen de boues ostréi-marines, tout spécialement : la coxarthrose, les rhumatismes rebelles, sciatiques, névralgies (en particulier d'origine paludéenne, avec ou non accès de paludisme aigu), les séquelles de phlébite, de fracture, d'opération ostéo-articulaire, les « jambes lourdes », les cellulites, obésité, les maladies allergiques comme l'asthme, l'eczéma, l'urticaire, les migraines, l'acné, les lithiases vésiculaire et rénale, les troubles endocriniens, le lymphatisme, presque tous les états de fatigue, de déficience, (particulièrement ceux consécutifs à une maladie infectieuse ou accompagnés d'un déséquilibre des éléments minéraux sanguins, dosables par la méthode spectrographique). Accessoirement, on y restaure et parfait la beauté, par le traitement et le raffermissement de la peau et des tissus sous-jacents après élimination de la cellulite. Et, prudemment, on s'y attaque à la sclérose en plaques. Mais répétons-le, il faut des années d'observations pour faire état des résultats, dans une maladie qui a ses rémissions et ses reprises.

L'Avenir Médical, dans son numéro de juillet-août 1958, disait : « Nous voudrions attirer l'attention sur les *bains de boues ostréi-marines*. (...) Gujan-Mestras, premier port ostréicole du bassin d'Arcachon, nous offre en effet des boues argileuses spéciales. Une huître précipite plus de 2 grammes d'argile par jour. Ces argiles des lais de mer du bassin d'Arcachon contiennent en forte proportion des composés minéraux et organiques grâce auxquels des bactéries, des protozoaires, des algues microscopiques (oscilliaires, diatomées) y abondent. L'iode marin et tous les oligo-éléments dans la proportion parfaite du milieu marin (notre milieu originel) y sont présents — en particulier le *Testae Ostreae* ou *Calcarea Ostrearum* (qui a la confiance de la médecine homéopathique), en un mot tous les éléments minéraux qui constituent notre corps s'y trouvent dans une proportion harmonieuse. Cette harmonie est une notion capitale lorsque l'on connaît l'importance des dysharmonies vitaminiques ou phospho-calciques par exemple. Tous ces éléments, situés dans un milieu vivant, en perpétuelle dynamisation, ont une action thérapeutique puissante ; il est incontestable que le soufre dynamisé selon les techniques homéopathiques possède une action que n'a pas la fleur de soufre, pour ne prendre que cet exemple.

Donc : richesse, vie, harmonie de ces boues ostréi-marines.

« Quand on pense chimiothérapie moderne, on pense surtout à la voie digestive et à la voie sanguine (injections intraveineuses, etc.) et pas assez à la voie percutanée. Certes, des hormones, des extraits glandulaires, des analgésiques sont quotidiennement prescrits par voie percutanée. Mais nos malades oublient souvent que la peau n'est pas une barrière, un revêtement protecteur, qu'elle est mieux que cela : une énorme glande (la plus volumineuse de notre corps), celle qui a la plus grande surface ; c'est un organisme de défense considérable en relation avec tous les organes. Son rôle dans l'immunité est prouvé chaque jour par les vaccinations diverses et le B.C.G. utilisés par voie intradermique. On comprend l'importance de mettre au contact de la plus grande surface possible de peau tous ces éléments organiques, minéraux et vivants.

« Cette argile marine a un grand pouvoir d'absorption et permet un contact intime de tous ces éléments avec la peau. Deuxièmement, par sa pression elle excite les terminaisons nerveuses cutanées, source de réflexothérapie. Troisièmement, cette cilice joue chimiquement un rôle probablement important dans les coxarthroses. Le méridien de la hanche, c'est le méridien de la vésicule biliaire (ligne de circulation d'énergie décrite par les médecins chinois depuis des millénaires). (...) Une influence tellurique est également possible : le sous-sol du bassin d'Arcachon est riche en pétrole. Le pétrole a une action antirhumatismale, si l'on en juge par les bains de pétrole que prenaient les Romains pour soigner leurs rhumatismes, par la paraffine-thérapie de Barthe de Sandfort et de ses disciples, par le

Petroleum homéopathique prescrit dans les rhumatismes chroniques avec craquement des articulations (fréquents dans les coxarthroses). »

L'exemple que donne le médecin, auteur de cet article, est celui-ci : « une très importante double coxarthrose, avec Paget, disparition presque complète des interlignes articulaires, flexion et rotation externe ; aucun traitement ne lui avait donné de tels résultats ».

Produits par les huîtres et mûris dans leur élément naturel constitué par l'eau de mer, son plancton, ses algues, ses bactéries, et les sécrétions des huîtres, ces limans ostréimarins de Gujan-Mestras ont également les indications de l'eau de mer, des algues, des eaux sulfureuses, des boues thermo-végétaux-minérales naturelles et de la thérapeutique tissulaire. Les huîtres qui meurent dans ces boues sécrètent, avant de mourir, des biostimulines dont les actions multiples et puissantes sont connues depuis la découverte (1933) du Docteur Filatov, Directeur de l'Institut expérimental d'Ophtalmologie d'Odessa (U.R.S.S.). Cette thérapeutique tissulaire s'effectue ici par voie percutanée.

Les diverses actions de ces boues ne s'additionnent pas : elles se multiplient selon un phénomène bien connu en médecine.

Outre cet article si documenté sur les boues ostréi-marines de Gujan-Mestras, j'ai reçu un numéro de la *Presse Médicale* (2 février 1963) où le Docteur Vincent, de Toulouse, en donne un autre des plus intéressants qui complète le précédent : *L'huître sera-t-elle une source nouvelle d'antibiotiques ?* dont il me semble utile de donner des extraits :

« A la valeur nutritive et aux qualités gastronomiques

de l'huître, devra-t-on ajouter un intérêt médical comme producteur d'antibiotiques ? C'est ce qu'on peut se demander à la suite de recherches très intéressantes effectuées récemment au National Institute of Health, de Bethesda Md (U.S.A.) par Li, Prescott, Jahnes et Martino. Particulièrement remarquable est le fait que l'action antibiotique observée se manifeste non seulement sur des bactéries mais aussi sur des virus. L'observation initiale qui a conduit à cette série de recherches a été faite en 1960 par Li, qui a constaté que des souris nourries avec du jus commercial d'un mollusque appelé « abalone » manifestaient une résistance remarquable à la poliomyélite expérimentale. (...)

« Ces recherches ont comporté des essais *in vitro* et *in vivo* sur les animaux infectés par des bactéries ou des virus. (...) Le jus de l'abalone s'est révélé comme un inhibiteur puissant vis-à-vis du staphylocoque doré (Li, 1960). Des essais semblables ont été pratiqués en utilisant l'huître comme matière première. (...)

« L'action antivirale a fait l'objet de recherches expérimentales plus approfondies. Elle fut étudiée sur la croissance des virus sur culture de tissu rénal (de singe) et, par ailleurs, sur l'infection virale de la souris par les virus de la poliomyélite et de l'influenza. Ainsi on a pu observer, par l'examen de l'effet cytopathique sur le tissu rénal que l'injection d'une fraction à partir de l'huître, réduit très fortement l'effet du virus injecté ensuite. (...) Une inhibition semblable de la croissance virale a été observée sur le virus A de l'influenza. Une recherche analogue a été réalisée avec le virus B de l'influenza inoculé à la souris par voie intranasale. » (...)

« Peu nombreuses sont les substances connues agissant comme inhibitrices des virus. Aussi l'intérêt de ces recherches n'est-il sans doute pas seulement scientifique, ouvrant peut-être une voie nouvelle dans la recherche thérapeutique en virologie. »

L'auteur fait plaisamment remarquer que les hommes devraient manger trop d'huîtres pour s'apercevoir de leur effet antibiotique. Mais il conclut : « La positivité constante des résultats obtenus doit permettre d'espérer que la substance active pourra être parfaitement isolée et connue dans sa structure, être utilisée telle quelle, et même, aussi, servir de modèle pour la synthèse de molécules plus actives. »

Le Docteur Monnier ajoute un détail : « Cela explique, m'écrit-il, l'action des boues ostréi-marines dans les névralgies dues aux virus, et sans doute le peu de cancéreux parmi les ostréiculteurs. »

J'ai entendu tout récemment, à une émission de télévision (qu'hélas je n'ai eue qu'en morceaux) qu'après le traitement marin, par eau de mer et boues chauffées, celles des huîtres comme les limans, la sueur rejetée par les patients contenait environ le double de toxines par rapport à celle des mêmes patients analysée avant le traitement. C'est pour obtenir, en effet, le maximum de lessivage qu'à toutes les baignoires d'eau de mer chaude, d'Arcachon et de partout, on ajoute des sachets d'algues pulvérisées pour en faire des eaux de mer super-alguées, non seulement plus efficaces mais encore plus agréables parce que plus onctueuses.

D'autres médecins, de Marseille, effectuent des recherches en partant aussi de boues françaises analogues à celles de la Mer Noire. Leur Société Civile D'Applications Thérapeutiques Physique (SCATHEP, pour aller plus vite) écrit dans son bulletin :

« Nous sommes heureux et fiers de présenter la *Fangothérapie marine Griaz, Méthode d'Odessa*. Le fait de pouvoir mettre à la disposition de tout praticien intéressé, sur le lieu même de son travail, une Fangothérapie vivante et vraiment active, comme seuls en possèdent certains établissements thermaux balnéaires étrangers [1] compense largement les efforts que nous avons déployés pendant des années pour expérimenter, extraire, normaliser, un produit qu'il est, à l'heure actuelle, impossible de réaliser artificiellement. *Griaz* est, en effet, un complexe minéro-végétal et bactérien vivant exclusivement en milieu marin, et anaérobie. L'extraction de *Griaz* nécessite des méthodes artisanales qui profitent chaque jour des progrès apportés par la technique à l'exploration du monde sous-marin. Le seul traitement qu'il subit avant son expédition est un tamisage qui élimine les coquillages et les herbes dont la sensation pourrait être désagréable aux malades. »

Eau de mer reconstituée : « Pour répondre aux impératifs de conservation de *Griaz*, est mis à la disposition de ses utilisateurs un extrait sec, complet qui, à raison de 50 grammes par litre d'eau douce, permet de recouvrir *Griaz* de la couche d'eau de mer indispensable à sa conservation. Il peut être également utilisé avec profit pour le rinçage des malades après application de la boue. »

---

1. Ils semblent ignorer Gujan-Mestras, du bassin d'Arcachon, si important.

Le bulletin explique scientifiquement l'action des boues noires d'Odessa dont se rapprochent les françaises. Il dit expressément : « Il existe en France des boues marines, végéto-minérales, à bactéries sulfo-réductrices, déjà scientifiquement étudiées et expérimentées en thérapeutique depuis trois ans. Déposées sous le nom russe de *Griaz*, elles sont appliquées suivant la méthode mise en œuvre depuis le début du siècle dans tous les établissements de cure de la région d'Odessa. Car ces boues ressemblent étrangement aux boues de la Mer Noire. (...)

« Toutes les boues d'origine néritique ou lacustre ne se ressemblent pas. Elles se répartissent en plusieurs groupes suivant leurs parentés chimiques ou bactériologiques. Et les limons de la Mer du Nord, pas plus que les tourbes de Franzensbad n'ont rien à voir avec les boues noires d'Odessa, tandis que la *Griaz* française pourrait être confondue avec ces dernières. »

La méthode d'Odessa où se contrôlent annuellement dix mille cures est minutieusement décrite, et scientifiquement exposée :

« Le complexe fangique est un mélange d'argile, de silice, d'alumine, de chaux, d'iode, de brome, d'albumines, de lipides et de matières humiques, en proportions très variables, autour de l'élément essentiel que constitue l'ensemble des groupements soufrés (Vérigo).

« Leur activité thérapeutique est liée en premier lieu à celle du soufre libre et de ses divers composés plus ou moins stables, ainsi qu'aux divers produits volatils qui s'en dégagent ; à l'eau de mer, enfin, qui en constitue la phase aqueuse et qui, déjà riche par elle-même, est encore enrichie en produits organiques et en oligo-éléments. Fait important : grâce à la compétition vitale imposée par leur abondant phytoplancton, ces boues, lorsqu'elles ne sont ni oxydées ni délavées par l'eau douce, ne permettent pas le développement des bactéries pathogènes.

« Quant à leur radioactivité, cette fameuse radioactivité dont on redoute à présent les excès, elle n'est pas plus importante dans ces péloses que celle du milieu marin dont elles sont issues. »

Action thérapeutique des boues noires. « Les deux facteurs essentiels en sont la chaleur et les éléments chimiques. » (Ces points ont déjà été traités) (...) « On pourrait s'étendre, reprend l'auteur, sur les mécanismes généraux d'action des boues noires. Nous nous contenterons d'évoquer les trois ordres de processus :

1. L'action purement humorale par pénétration des divers éléments chimiques dans l'économie.

2. L'action nerveuse mise en circuit de réflexes neurovégétatifs à partir des chémo et thermo-récepteurs cutanés.

3. L'action locale, sédative, résolutive, anti-allergique, mais non anti-inflammatoire.

Cette action locale a d'ailleurs été très étudiée par les auteurs russes.

Les effets suivants ont été observés :
— Afflux sanguin en surface ;
— Oxydation et nutrition cellulaire accrue ;
— Désensibilisation ;
— Trophisme cutané amélioré ;
— Désinfiltration et régénération tissulaire sous-jacente ;

— Décongestion en profondeur ;
— Sédation nerveuse à partir des récepteurs cutanés ;
— Exudation et élimination des déchets toxiques ;
— Action eutropique et euplastique sur le collagène.

INDICATIONS DE LA FANGOTHÉRAPIE D'ODESSA

Les principales sont les mêmes que celles de toutes les autres fangothérapies. Etant donné, toutefois, l'exceptionnelle activité des boues à bactéries sulfo-réductrices, il semble que les bains complets, susceptibles de provoquer des réactions parfois intenses, peuvent être, le plus souvent, remplacés par des illutations, applications locales, à même la peau, de boues réchauffées à 48° (il est même pratiqué en Russie des applications intra-vaginales et intra-rectales).

Une simple énumération des indications et contre-indications montrera l'étendue et les limites de cette thérapeutique.

Maladies ostéo-articulaires :

a. Rhumatisme dégénératif :

— arthrose des petites articulations ;
— gonarthrose, lipo-arthrite sèche du genou ;
— coxarthrose ;
— arthrose sacro-iliaque ;
— périarthrite scapulo-humérale ;
— spondylarthrose et surtout cervicarthrose (l'une des plus belles indications).

209

b. Séquelles d'ostéites et de périostites.

c. Séquelles de traumatismes ostéo-articulaires (résultats d'autant plus spectaculaires que le traitement est plus précoce).

d. Localisations articulaires de la goutte chronique (loin des poussées aiguës et avec prudence).

e. Séquelles d'arthrites depuis longtemps refroidies.

Affections neuro-musculaires :

f. Myalgies. Crampes et contractures.

g. Sympathalgies (Solarites).

Dermatoses :

h. Acné, Séborrhée.

i. Eczémas secs, Psoriasis, Dyskératoses.

j. Schlérodermie, Chéloïdes.

k. Dermatoses allergiques.

Maladies du conjonctif :

l. Trophœdème, Cellulomes.

m. Périviscérites, Adhérences.

CONTRE-INDICATIONS

— Les états inflammatoires en évolution (en particulier
la R.A.A. et la P.C.E.) ;
— La tuberculose évolutive ;
— Les affections cardio-vasculaires graves ;
— Les néphrites et hépatites aiguës ;
— La fièvre ;
— Les états cachectiques ;
— Les hémopathies ;
— Le cancer,

constituent des contre-indications absolues à la fangothérapie en général et à celle d'Odessa en particulier [1].

---

1. Inutile de dire que je ne fais de réclame ni pour un Institut,
ni pour une méthode, ni pour un produit, ni pour un praticien
en particulier, mais que je cite tous ceux que je connais, dans le
détail, ayant un seul but : informer le plus complètement et le
plus clairement possible.

CONCLUSION

J'ai fait, du mieux que j'ai pu, la mise au point de la
question des cures marines, ne craignant pas de répéter,
pour chacune, ce que j'avais déjà trouvé dans les autres,
en fait d'indications, de contre-indications, de techniques.
Cela ne prouve que mieux l'efficacité de la mer qui guérit
les hommes.

Je me suis adressée, quelquefois indiscrètement, aux
médecins-directeurs des Etablissements français, et aucun
n'a reculé devant le surcroît de travail que je lui deman-
dais pour ma documentation, mettant au premier rang son
désir, souvent anonyme, d'éclairer les malades et de leur
ouvrir des chemins vers la guérison. Je les remercie du
plus profond de mon cœur.

J'ai vu des praticiens étrangers : leurs explications, leurs
buts étaient partout les mêmes. Je ne les ai cités que dans
les rapports qui me sont parvenus des Congrès où ils étaient
rapporteurs. Recopier leurs propos n'aurait été qu'une inutile répétition. Mais ma gratitude leur est acquise comme
aux praticiens français et belges dont j'ai reçu les soins, les
publications, les lettres détaillées, et entendu les exposés.

Quelque chose a été et demeure commun à leurs diverses compétences s'adressant bienveillamment à mon ignorance : le désir de servir et de réconforter ceux qui souffrent en leur montrant la source de la santé où l'on peut remonter, et les sentiers qui y conduisent.

INDICATIONS THÉRAPEUTIQUES
DE LA CURE MARINE

TABLEAU I

(d'après *L'ABC de la cure marine, mémento pratique du traitant*, édité par la Deutscher Barderverband E. V. Bonn.)

TOUTE L'ANNÉE, MAIS SURTOUT AU PRINTEMPS, EN AUTOMNE ET EN HIVER	EN ÉTÉ

I. *Affections des voies respiratoires :*

Catarrhes du nez, du pharynx, de la trachée et des bronches.	Cures de repos et de convalescence. Affections des bronches, Bronchiectasies. Commencements d'emphysème, Sinusites.

2. *Affections allergiques :*

Bronchite asthmatiforme. Asthme bronchique. Eczéma chronique. Eczéma professionnel. Neurodermatite. Maladies spasmodiques.	Rhume des foins, rhinite vasomotrice, acné séborrhée, psoriasis.

3. *Dystonies végétatives* :

Etats d'épuisement.
Convalescence après infection.
Troubles endocriniens sans ma-
  nifestations cliniques.
Troubles non classifiés de la ten-
  sion artérielle.
Stigmatisations végétatives.
Insomnies.
Formes bénignes des troubles
  circulatoires.

Obésité,
affections localisées,
chroniques incurables,
hyperthyroïdies.

4. *Cures préventives et tonifiantes* :

Défaillances commençantes avec
  diminution de la capacité de
  travail.
Prédisposition aux infections.
Présclérose.

Besoin général de repos.

Note : Pour les maladies rhumatismales chroniques et les affections gynécologiques, les praticiens allemands, qui disposent des
bains de mer chauds et des boues, semblent préférer, dans ce tableau d'indications, l'utilisation des boues marines.

CONTRE-INDICATIONS

— Tuberculoses ouvertes et exsudatives ;
— pleurésies avec épanchement ;
— affections inflammatoires des reins et des voies urinaires ;
— abcès pulmonaire au stade précoce et états consécutifs à une
      opération pulmonaire ;
— maladies mentales et psychopathies ;
— troubles endocriniens cliniques ;
— maladies infectieuses.

TABLEAU II

(d'après le Docteur Georges de La Farge ;
extrait de son plan d'Institut de Bio-Climatologie
de Cannes, publié en 1952.)

CLIMAT

1. Intellectuels surmenés. Nerveux, insomniaques et anorexiques. Convalescents de maladies aiguës ou d'intervention chirurgicale. Déprimés, dyspeptiques nerveux.
2. Migraineux, névralgiques, certaines douleurs rhumatismales.
3. Névrodermites rebelles.
4. Paralysie agitante au début.
5. Anémiques, chlorotiques.
6. Toxémies et manifestations du paludisme.
7. Diabétiques simples.
8. Affections des voies respiratoires : coryzas traînants, rhinites chroniques, opérés récents des fosses nasales, rhume des foins, vieux catarrhes du larynx et de la trachée, crises d'asthme.
9. Enfants anémiés, fatigués, adolescents surmenés par leurs études, rachitiques.

CONTRE-INDICATIONS

Goutte, obésité, lithiase urinaire ;
affections chroniques de l'estomac et des intestins ;
cardiaques ;
épileptiques et grands névrosés ;
cachectiques.

CURE EXTERNE
(Eau de mer chaude et dérivés)

a. *Système ostéo-articulaire :*

toutes les arthropathies du rhumatisme chronique ;
le rachitisme ;

217

les séquelles de traumatismes (contusions, fractures, luxations) ;
les scolioses ;

b. *Système génito-urinaire :*

incontinence d'urine des enfants ;
gynécologie : aménorrhée, dysménorrhée, hyperménorrhées, an-
    nexites chroniques restées douloureuses, fibromes au début,
    déviation utérine, stérilité, etc. ;

c. *Système cutané :*

toutes les dermatoses chroniques, eczémas séborrhéides, pso-
    riasis, etc. ;

d. *Système circulatoire :*

veineux : ulcères variqueux, séquelles de phlébites et périphlé-
    bites ;
cardiaque : certaines affections chroniques du cœur consécu-
    tives au rhumatisme articulaire aigu ;

e. *Système nerveux :*

certaines paralysies infantiles ;
paraplégies, hémiplégies, etc. ;
polinévrites, névralgies et névrites rebelles ; psychasthénie avec
    déperdition phosphorée ;

f. *Système respiratoire :*

nez et gorge : susceptibilité au coryza, catarrhes et pharyngites
    chroniques ;
poumons : emphysème ;

g. *Etat général :*

débilité congénitale ou acquise ;
cachexie infantile des grandes villes, troubles de la croissance,
    lymphatisme, scrofule ;
arthritisme ;
anémie, chlorose ;
troubles de la nutrition générale : goutte, diabète, obésité.

TABLE DES CHAPITRES

IMPRIMERIE SÉVIN, DOULLENS.
D. L. 2ᵉ TR. 1957. Nº 835 . 2 (I 421).